SPIS TREŚCI

Ojcowie Niepodległości

Ignacy Jan Paderewski był wybitnym pianistą i kompozytorem, gorącym patriotą i mężem stanu, filantropem i działaczem społecznym. Jego zaangażowanie w polską sprawę było absolutnie bezinteresowne. Na trwałe wpisał się w poczet osób najbardziej zasłużonych dla odzyskania przez Polskę niepodległości.

Pamięć i tożsamość

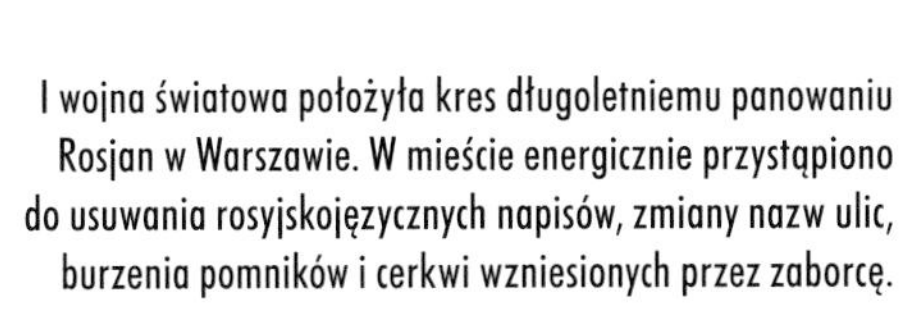

I wojna światowa położyła kres długoletniemu panowaniu Rosjan w Warszawie. W mieście energicznie przystąpiono do usuwania rosyjskojęzycznych napisów, zmiany nazw ulic, burzenia pomników i cerkwi wzniesionych przez zaborcę.

Zagadnienie strat osobowych (bezwzględnych) II Rzeczypospolitej było przedmiotem dociekań różnych instytucji już w czasie II wojny światowej. Informacje na ten temat we wrześniu 1944 r. podało Ministerstwo Prac Kongresowych Rządu RP w Londynie. Stwierdzono wówczas, że II RP straciła 4 114 000 swoich obywateli, w tym 2 481 000 Żydów.

Miliony żołnierzy poległo na ziemiach polskich w samym tylko wieku XX. Troska o ich mogiły to zadanie dla państwa i organizacji społecznych.

Budowa kopca Piłsudskiego to wyraz szacunku dla człowieka, który przywrócił Polsce niepodległość. Ten największy z polskich kopców ma długą, niezwykle ciekawą historię, zdeterminowaną przez trudne i zmienne koleje XX w.

Niemiecki obóz karno-śledczy w Forcie III w Pomiechówku pod Nowym Dworem Mazowieckim, istniejący w latach 1941–1945, jest nazywany największą katownią północnego Mazowsza. Ginęli tam Polacy i Żydzi.

Na niewielkiej polance wśród lasów, w pobliżu drogi z Wólki Plebańskiej do Witoroża (gmina Drelów, pow. bialski, woj. lubelskie), znajduje się grób żołnierski, określany od nazw pobliskich miejscowości jako mogiła w Leszczance lub w Janówce. W okresie peerelu chciano skazać to miejsce na zapomnienie. Pamięć o poległych żołnierzach AK okazała się trwalsza niż komunizm.

W niedzielę 29 kwietnia 2018 r., w 73. rocznicę wyzwolenia przez Armię Amerykańską niemieckiego obozu koncentracyjnego Dachau, odbyły się oficjalne uroczystości upamiętniające osadzonych tam więźniów. Przy tej okazji delegacja IPN odwiedziła polskie cmentarze i groby wojenne w Bawarii.

Jednym z podstawowych zadań realizowanych przez Biuro Upamiętniania Walk i Męczeństwa IPN jest poszukiwanie, ekshumacja i przenoszenie szczątków ludzkich z mogił wojennych w godne miejsca. Najczęściej są to lokalne cmentarze.

Wybierając się na urlop do Włoch, warto odwiedzić polskie miejsca pamięci. Proponuję trasę z południa na północ Półwyspu Apenińskiego – drogę, którą przebył 2. Korpus Polski. Tu przedstawiam – w kolejności alfabetycznej – mój subiektywny wybór miejsc.

W niedzielę 30 września w kaplicy na cmentarzu w Osowie, na którym spoczywają żołnierze Bitwy Warszawskiej z 1920 r., odsłonimy ósme już srebrne „Serce dla Inki". Zapraszam na tę uroczystość. Wszystkich zaś, którzy chcieliby się włączyć w naszą inicjatywę upamiętniania Danuty Siedzikówny, zachęcam do współpracy.

Sylwetki

Komentarze historyczne

Kolegium:
dr hab. Adam Dziuba, dr Wojciech Frazik, dr hab. Waldemar Grabowski, dr Kazimierz Krajewski, dr Mariusz Krzysztofiński, dr Sebastian Ligarski, dr Agnieszka Łuczak, dr Marcin Majewski, dr hab. Filip Musiał, dr Wojciech Muszyński, Jan M. Ruman, dr hab. Krzysztof Sychowicz, Anna Zechenter

Redaguje zespół:
Wojciech Butkiewicz – sekretarz redakcji (tel. 22 5818813, wojciech.butkiewicz@ipn.gov.pl), dr Filip Gańczak (filip.ganczak@ipn.gov.pl), Jakub Gołębiewski (jakub.golebiewski@ipn.gov.pl), Romuald Niedzielko – zastępca redaktora naczelnego (romuald.niedzielko@ipn.gov.pl), Jan M. Ruman – redaktor naczelny (jan.ruman@ipn.gov.pl), Andrzej Sujka (andrzej.sujka@ipn.gov.pl), Piotr Życieński – fotoreporter

Sekretariat: Maria Wiśniewska (tel. 22 5818819, maria.wisniewska@ipn.gov.pl)

Projekt graficzny: Sylwia Szafrańska
Projekt okładki i łamanie: Katarzyna Dziedzic-Boboli

Korekta: Beata Stadryniak-Saracyn

Adres redakcji:
ul. Wołoska 5, 02-675 Warszawa

Adres do korespondencji:
ul. Wołoska 7, 02-675 Warszawa

Druk:
LEGRA Sp. z o.o. ul. Albatrosów 10c, 30-716 Kraków

W winiecie: oryginalny orzełek z czapki powstańczej, fot. Jarosław Wróblewski

BIULETYN IPN
PISMO O NAJNOWSZEJ HISTORII POLSKI
NR 9 (154), wrzesień 2018

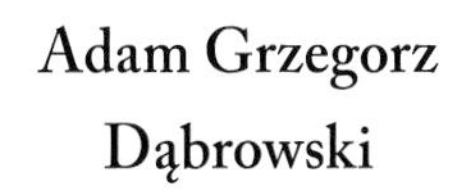
Adam Grzegorz Dąbrowski

Orędownik sprawy polskiej

Ignacy Jan Paderewski (1860–1941)

Ignacy Jan Paderewski był wybitnym pianistą i kompozytorem, gorącym patriotą i mężem stanu, filantropem i działaczem społecznym. Jego zaangażowanie w polską sprawę było absolutnie bezinteresowne. Na trwałe wpisał się w poczet osób najbardziej zasłużonych dla odzyskania przez Polskę niepodległości.

Ignacy Jan Paderewski.
Fot. NAC

Urodził się i dzieciństwo spędził na Ukrainie. Tam odebrał pierwszą edukację (patriotyczną, muzyczną, ogólną), tam miały miejsce jego pierwsze występy publiczne. Naukę kontynuował w Warszawie, Berlinie i Wiedniu. Wkrótce rozpoczął działalność koncertową, podczas której miał okazję zawrzeć znajomość z wieloma osobistościami międzynarodowej sceny politycznej. Szybko stał się osobą powszechnie znaną i cenioną, a swoją sławę budował także poprzez działalność charytatywną, niewątpliwy dar krasomówczy oraz pierwsze wystąpienia o charakterze politycznym, dotyczące bieżącej sytuacji międzynarodowej.

Głośnym echem wśród Polaków zamieszkałych na terenie trzech państw zaborczych (Austro-Węgier, Cesarstwa Niemieckiego i Imperium Rosyjskiego) oraz przebywających na emigracji odbiła się uroczystość odsłonięcia w Krakowie 15 lipca 1910 r. pomnika Grunwaldzkiego. Odbyło się to podczas obchodów pięćsetnej rocznicy pamiętnej bitwy pod Grunwaldem. Inicjatorem budowy i fundatorem monumentu był Paderewski, a było to swoiste preludium do jego działalności na rzecz sprawy polskiej, prowadzonej w czasie I wojny światowej i po jej zakończeniu.

Dyplomacja czasu wojny

Wybuch wojny zastał Paderewskiego w Szwajcarii, wśród stosunkowo nielicznej i zróżnicowanej politycznie, ale aktywnej tamtejszej Polonii. Jej przedstawiciele – pod wpływem nadchodzących z ziem polskich wiadomości o dramatycznej sytuacji materialnej rodaków – w styczniu 1915 r. powołali do życia Komitet Generalny Pomocy Ofiarom Wojny w Polsce z siedzibą w Vevey. Paderewski został wiceprezesem honorowym i prezesem wszystkich filii tej organizacji, które zamierzano utworzyć w innych państwach. Komitet zapewnił, że w neutralnej Szwajcarii nie będzie podejmował żadnych działań o charakterze politycznym, co zaowocowało jego oficjalnym uznaniem przez władze szwajcarskie i umożliwiło podjęcie akcji pomocy humanitarnej na rzecz ludności cywilnej ziem polskich.

Paderewski udał się kolejno do Paryża i Londynu z zamiarem powołania tam filii komitetu. W obu przypadkach misje te zakończyły się powodzeniem, jednak aby pozyskać do tych gremiów przedstawicieli kół rządowych Francji i Wielkiej Brytanii, musiał wyrazić zgodę na uczestnictwo oficjalnych przedstawicieli dyplomatycznych carskiej Rosji, która była wojennym sojusznikiem Paryża i Londynu.

Następnym etapem podróży Paderewskiego były Stany Zjednoczone (wówczas również państwo neutralne), gdzie działało wiele – skłóconych ze sobą – organizacji polonijnych. Chcąc zaktywizować amerykańską Polonię i zjednoczyć ją wokół idei komitetu z Vevey, pianista zdecydował się na objazd wszystkich skupisk polonijnych w USA. W trakcie tego tournée pertraktował z reprezentantami polskiego wychodźstwa, koncertował, wygłaszał płomienne mowy. Działalność ta została szybko dostrzeżona także przez społeczeństwo amerykańskie oraz władze federalne, stąd w kierownictwie utworzonego niebawem American Committee of the Polish Victims' Relief Fund zasiadło wiele znanych osobistości.

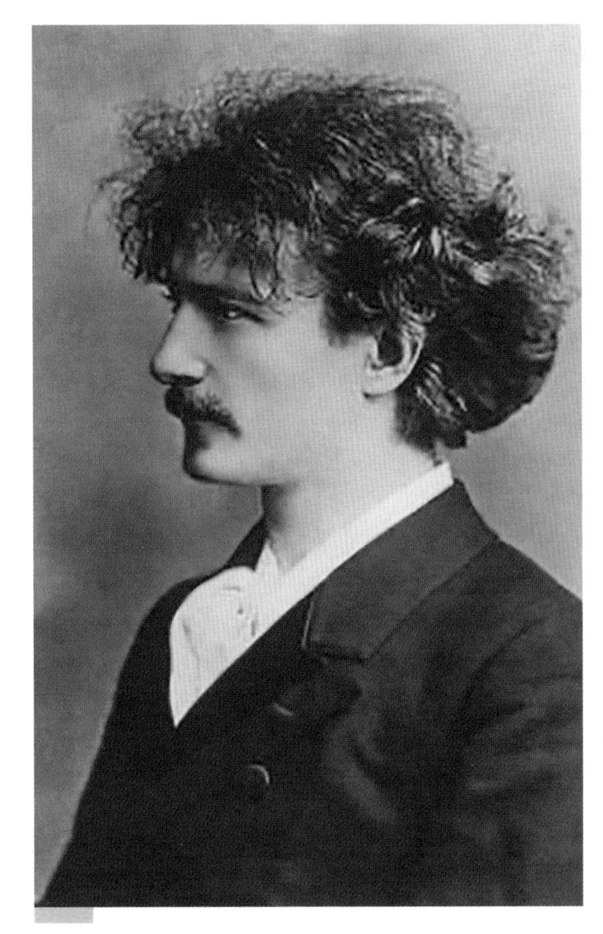

Ignacy Jan Paderewski. Fot. NAC

Jednak najcenniejsze okazało się pozyskanie dla sprawy polskiej Edwarda House'a – przyjaciela i najbliższego doradcy ówczesnego prezydenta USA, Thomasa Woodrowa Wilsona. Dzięki poparciu House'a Paderewski mógł w 1916 r. dwukrotnie spotkać się z amerykańskim prezydentem. Występował w rozmowie z nim jako oficjalny reprezentant Polonii, wcześniej bowiem przejął kierownictwo Wydziału Narodowego. Była to organizacja o charakterze politycznym, wyodrębniona z prowadzącego działalność charytatywną Polskiego Centralnego Komitetu Ratunkowego. Komitet jednoczył tę część Polonii amerykańskiej, która sympatyzowała z państwami ententy.

Na początku stycznia 1917 r. House zwrócił się do Paderewskiego z prośbą o pilne sporządzenie memoriału dotyczącego zagadnień polskich, który miałby zostać przedstawiony prezydentowi. Paderewski błyskawicznie przygotował (w oparciu o posiadane różne materiały statystyczne i historyczne) dwa teksty: jeden datowany na 11 stycznia 1917 r., drugi bez daty, spisany między 11 a 22 stycznia 1917 r. Opisał w nich historię ziem polskich, sytuację w poszczególnych zaborach oraz propozycję przyszłego kształtu odrodzonej Polski. I jakkolwiek nie ma na to bezpośrednich dowodów, memoriały te mogły mieć wpływ – choćby pośredni – na fragmenty dwóch orędzi Wilsona do amerykańskiego senatu. Pierwsze orędzie, z 22 stycznia 1917 r., zawierało słowa „wszyscy politycy są zgodni, iż powinna istnieć niepodległa, zjednoczona Polska". Drugie, wygłoszone 7 stycznia 1918 r., a powszechnie znane jako czternastopunktowy program pokojowy dla świata po zakończeniu I wojny światowej, zawierało z kolei (w punkcie trzynastym)

zdanie: „Należy stworzyć niezawisłe państwo polskie, które winno obejmować terytoria zamieszkane przez ludność niezaprzeczalnie polską, któremu należy zapewnić swobodny i bezpieczny dostęp do morza; należy zagwarantować paktem międzynarodowym jego niezawisłość polityczną i gospodarczą oraz integralność terytorialną". Szczególnie drugie orędzie, wygłoszone w momencie gdy Stany Zjednoczone były już zaangażowane w wojnę światową, umacniało poparcie kwestii polskiej na arenie polityki międzynarodowej.

Innym polem działania Paderewskiego były starania o utworzenie polskiej armii na terenie Stanów Zjednoczonych – w rozumieniu samodzielnych jednostek wojskowych, a nie oddziałów posiłkowych przy armiach państw ententy. Jednak starania te spotykały się początkowo ze zdecydowanie nieprzychylną postawą władz amerykańskich, w tym prezydenta Wilsona. Dopiero jesienią 1917 r. zgodzono się na to, by do tworzonej we Francji Armii Polskiej byli werbowani ochotnicy

Ignacy Jan Paderewski przemawia na wiecu w Nowym Jorku, 1919 r.
Fot. Wikimedia Commons

Ignacy Jan Paderewski w filmie brytyjskim *Sonata księżycowa*, 1937 r. Fot. NAC

spośród obywateli amerykańskich polskiego pochodzenia, nieobjętych poborem do armii USA.

Wcześniej, w sierpniu 1917 r., w szwajcarskiej Lozannie powstał Komitet Narodowy Polski, którego założyciele mieli ambicję reprezentowania na arenie międzynarodowej całokształtu spraw polskich (niebawem siedzibę KNP przeniesiono do Paryża). Prezesem został Roman Dmowski, lider polskiego ruchu narodowego. Wkrótce państwa ententy uznały komitet za oficjalną reprezentację interesów polskich. Funkcję przedstawiciela komitetu na terenie Stanów Zjednoczonych zaproponowano Paderewskiemu, który równocześnie kontynuował akcję organizowania pomocy finansowej dla ziem polskich oraz zachęcał do zgłaszania się do polskiej armii. O ile jednak zbiórka pieniędzy przyniosła wymierne efekty, o tyle liczba ochotników deklarujących zamiar wstąpienia w szeregi polskiego wojska była dużo mniejsza od spodziewanej.

Na czele rządu

Pobyt w Stanach Zjednoczonych zakończył Paderewski utworzeniem Biura Informacyjnego (dla propagowania kwestii polskiej w prasie amerykańskiej) oraz Biura Przemysłowo-Handlowego (mającego przygotować grunt pod przyszłe polsko-amerykańskie stosunki ekonomiczne) i w listopadzie 1918 r. udał się do Europy. Po krótkim pobycie w Wielkiej Brytanii i Francji wypłynął na pokładzie brytyjskiego okrętu wojennego do Polski, której niepodległość została notyfikowana 16 listopada 1918 r. i w której działał już rząd centralny, kierowany przez polityka socjalistycznego Jędrzeja Moraczewskiego, a funkcję głowy państwa – jako Tymczasowy Naczelnik Państwa – pełnił Józef Piłsudski.

Symboliczne znaczenie dla procesu powrotu Polski nad Bałtyk miała wizyta Paderewskiego w Gdańsku (25 i 26 grudnia 1918 r.), gdzie przyjął zaproszenie do Poznania, wystosowane przez grupę działaczy niepodległościowych z Wielkopolski. Do miasta nad Wartą dotarł 26 grudnia, witany owacyjnie przez rodaków. Pobyt pianisty w Poznaniu stał się iskrą, która doprowadziła do wybuchu powstania antyniemieckiego. Szybko objęło ono teren prawie całej Wielkopolski i okazało się jedynym dużym polskim zrywem powstańczym zakończonym pełnym sukcesem: na mocy postanowień traktatu wersalskiego Wielkopolska została przyłączona do odrodzonego państwa polskiego.

Z Poznania Paderewski wyruszył do Warszawy, gdzie również był owacyjnie witany. Traktowany jak mąż opatrznościowy Polski, od razu został wciągnięty w wir wydarzeń politycznych. Wobec trudnej sytuacji wewnętrznej i międzynarodowej państwa zachodziła konieczność zmiany dotychczasowego rządu i powołania takiego, na którego czele stanęłaby osoba ciesząca się poparciem szerokiego kręgu stronnictw politycznych w Polsce, a jednocześnie – zaufaniem państw zachodnich. Osobą taką był Paderewski. Został desygnowany na premiera (oficjalnie nazywanego w tym okresie prezydentem ministrów) i zajmował to stanowisko od 16 stycznia do 9 grudnia 1919 r., kierując także resortem spraw zagranicznych.

Najpilniejszymi kwestiami polityki wewnętrznej, wymagającymi wręcz natychmiastowych decyzji były: poprawa trudnej sytuacji finansowej państwa (w tym walka z inflacją i zapewnienie płynności w egzekwowaniu należności podatkowych), odbudowa handlu i przemysłu, zapewnienie porządku i bezpieczeństwa publicznego. Z kolei w polityce zagranicznej na plan pierwszy wysuwały się zbrojne

Sarkofag Ignacego Jana Paderewskiego w krypcie katedry św. Jana w Warszawie. Fot. Wikimedia Commons

konflikty graniczne z sąsiadami na południu i wschodzie (z Czechosłowacją, Zachodnioukraińską Republiką Ludową i Rosją sowiecką) oraz – rozstrzygnięty ostatecznie drogą pokojową – spór z Niemcami. Kluczowe były tu ustalenia wersalskiej konferencji pokojowej. Na czele polskiej delegacji na tę konferencję stanęli Paderewski, jako przewodniczący (przybył do Wersalu 5 kwietnia), oraz zastępujący go do tego momentu Dmowski. Oni też 28 czerwca 1919 r. złożyli swoje podpisy na dokumencie, który przeszedł do historii jako traktat wersalski. Ich autorytetowi, zaangażowaniu, darowi przekonywania, jak też pracy pozostałych członków polskiej delegacji, zawdzięczała Rzeczpospolita rozstrzygnięcia dla niej najkorzystniejsze, jakie w ówczesnej sytuacji można było osiągnąć. Parlament polski zatwierdził traktat 31 lipca 1919 r.

Sukcesy na arenie międzynarodowej nie mogły jednak przysłonić trudnej sytuacji na polskiej scenie politycznej i krytyki poczynań rządu Paderewskiego. W efekcie podał się on do dymisji, zrezygnował też ze stanowiska ministra spraw zagranicznych. Niebawem udał się do Szwajcarii. Na krótko wrócił do czynnej służby w dyplomacji, przyjmując nominację na stanowisko delegata Polski przy Lidze Narodów, organizacji mającej na celu utrzymanie pokoju na świecie. Funkcję tę pełnił od 18 lipca 1920 do 23 maja 1921 r. (na pierwszym uroczystym posiedzeniu Ligi zgotowano mu gorącą owację), po czym ostatecznie wycofał się z czynnej działalności politycznej. Jednak z uwagą śledził rozwój sytuacji w ojczyźnie. W 1936 r. został współzałożycielem tzw. Frontu Morges – porozumienia działaczy stronnictw opozycyjnych wobec rządzącego Polską piłsudczykowskiego obozu sanacyjnego.

Po wybuchu II wojny światowej znów zaangażował swój autorytet – zarówno wśród rodaków, jak i na forum międzynarodowym – w pomoc sprawie polskiej. Został przewodniczącym Rady Narodowej RP, pełniącej funkcję emigracyjnego parlamentu, jednak ze względu na podeszły wiek i stan zdrowia wziął udział tylko w jednym posiedzeniu tego gremium. W 1940 r. udał się do USA, gdzie kontynuował – w miarę sił – kampanię na rzecz sprawy polskiej. Zmarł w czerwcu 1941 r. Nowym Jorku. Został pochowany z honorami na Cmentarzu Narodowym w Arlington. W 1992 r. jego prochy sprowadzono do Polski i złożono w sarkofagu w warszawskiej katedrze św. Jana Chrzciciela. ▪

BIBLIOGRAFIA

Drozdowski M.M., *Ignacy Jan Paderewski. Zarys biografii politycznej*, Warszawa 1986.
Lisiak H., *Paderewski. Od Kuryłówki po Arlington*, Poznań 1992.
Piber A., *Droga do sławy. Ignacy Jan Paderewski w latach 1860–1902*, Warszawa 1982.
Przybylski H., *Paderewski. Między muzyką a polityką*, Katowice 1992.
Wapiński R., *Ignacy Paderewski*, Wrocław 2009.
Zamoyski A., *Paderewski*, Warszawa 2010.

Adam Grzegorz Dąbrowski (ur. 1969) – archiwista, historyk, dr, pracownik Archiwum Akt Nowych w Warszawie. Autor monografii *Kancelaria Ministerstwa Spraw Wewnętrznych w Warszawie w latach 1918–1939* (2015), współautor edycji źródeł *Ministerstwo Kultury i Sztuki w dokumentach 1918–1998* (1998) oraz *Archiwum Polityczne Ignacego Jana Paderewskiego* (t. 5 i 6, 2001 i 2007). Członek zarządu Międzynarodowego Towarzystwa Muzyki Polskiej im. Ignacego Jana Paderewskiego w Warszawie.

Rozbiórka soboru na pl. Saskim.
Fot. NAC

BIULETYN IPN
PISMO O NAJNOWSZEJ HISTORII POLSKI
NR 9 (154), wrzesień 2018

Piotr Jaźwiński

Derusyfikacja w Warszawie 1915–1926

I wojna światowa położyła kres długoletniemu panowaniu Rosjan w Warszawie. W mieście energicznie przystąpiono do usuwania rosyjskojęzycznych napisów, zmiany nazw ulic, burzenia pomników i cerkwi wzniesionych przez zaborcę.

Derusyfikacja na rozkaz

Pierwszą akcję derusyfikacyjną w Warszawie przeprowadzili Niemcy wkrótce po zajęciu miasta 5 sierpnia 1915 r. W dodatku porannym „Kurjera Warszawskiego" z 27 sierpnia ukazało się obwieszczenie wojskowego gubernatora miasta, Urlicha von Etzdorfa, w którym podawano do wiadomości m.in.: „[...] 2. Wszystkie napisy w języku rosyjskim na gmachach rządowych i publicznych, z wyjątkiem kościołów i pomników, winny być usunięte przez zarząd miasta przed 1-m września r.b. [...]. 3. Na tablicach ulicznych zarząd miasta obowiązany jest przed dniem 10 września r.b. zatrzeć nazwy rosyjskie, aby były niewidoczne. 4. Napisy rosyjskie na gmachach prywatnych, sklepach itp. winny być zniesione przez ich właścicieli przed 21 września r.b.

Kto nie wykona niniejszego rozporządzenia w czasie przepisanym, będzie ukarany grzywną w wysokości 600 marek lub więzieniem do 6 tygodni. Pozatem napis będzie usunięty pod przymusem osobistym przez odpowiednie władze na koszt właściciela"[1].

Na starych fotografiach widać wkraczającą do Warszawy niemiecką kawalerię, a w tle dwujęzyczne szyldy i tablice. To podwójne nazewnictwo zostało wprowadzone przez zaborcę w 1844 r., natomiast po roku 1864, po upadku Powstania Styczniowego zaczęto je rygorystycznie przestrzegać. Napis w języku rosyjskim był umieszczany na górze lub z lewej strony, napis w języku polskim – na dole lub po stronie prawej[2].

Proces usuwania napisów rosyjskich przebiegał nad wyraz sprawnie. Wyprzedzano terminy wyznaczone przez władze niemieckie. Najczęściej (sposób stosowany na szyldach) zamalowywano rosyjskie napisy białą farbą; czasem całą tablicę lub szyld pokrywano płótnem, na którym były umieszczane już tylko polskie napisy. Znacznie rzadziej usuwano całe tablice, zastępując je nowymi.

W pierwszym obwieszczeniu nie wspomniano nic o orłach carskich, ale to wyraźne niedopatrzenie zostało szybko skorygowane. Kolejne obwieszczenie gubernatora nakazywało: „do dnia 21-go b.m należy ze wszystkich gmachów prywatnych, szyldów firmowych itp. usunąć także orły rosyjskie oraz wszelkie inne

---

[1] „Kurjer Warszawski" (dodatek poranny), 27 VIII 1915 r., nr 236, s. 2.

[2] A. Tuszyńska, *Rosjanie w Warszawie*, Warszawa 1992, s. 108.

Cerkiew Zaśnięcia Najświętszej Marii Panny przy ul. Miodowej 16 (z dobudowanym żelaznym portykiem); dziś cerkiew greckokatolicka.

oznaki państwowe”[3]. Przypomniano, jakie kary grożą za niewykonanie poleceń władz okupacyjnych.

Zmiana nazw ulic w Warszawie, czyli burza w szklance wody

Dziennik „Godzina Polska” 29 stycznia 1916 r. zamieścił krótką notatkę następującej treści: „Zarząd Towarzystwa Literatów i Dziennikarzy Polskich postanowił wystąpić z inicjatywą zmiany nazw ulic Warszawy, na których pozostało narzucone, niechętnie przez ludność widziane piętno pochodzenia rosyjskiego. W tym celu podjęto akcję dla przeprowadzenia przed sięwzięcia w duchu narodowym i zgodnie z dawnymi tradycjami miasta”[4]. No i zaczęło się! Na początek wybuchła sprawa zmiany nazwy ulicy hr. Fiodora Berga na Romualda Traugutta, naczelnika i dyktatora Powstania Styczniowego, straconego przez Rosjan na stokach cytadeli. Wniosek o zmianę nazwy ulicy skierowały do Prezydium Rady Miejskiej środowiska niepodległościowe. Przeciwko szybkiej zmianie zaprotestowali działacze

---

[3] „Kurjer Warszawski”, 9 IX 1915 r., nr 249, s. 1.

[4] *Zmiana nazw ulic*, „Godzina Polski”, 28 X 1916 r., nr 300, s. 5.

endeccy i chadeccy: „Protest swój motywowali demagogicznie tym, że są sprawy bardziej dla ludności miasta żywotne. W istocie rzeczy wchodziły tu w grę nałogi rusofilskie" – pisali ich oponenci[5]. Bergerzy, bo takie określenie przylgnęło do zwolenników pozostawienia dotychczasowego patrona, po tym jak nielegalnie usunięto tabliczki z „ruską" nazwą ulicy, wieszając na ich miejscu nowe z nazwą Romualda Traugutta, nakazali usunięcie tych tabliczek, co też służby miejskie niezbyt chętnie uczyniły. Ulica stała się na jakiś czas bezimienna – ku uciesze warszawiaków, którzy w sposób niewybredny i złośliwy komentowali poczynania Rady Miejskiej. Odium spadło na warszawski magistrat, który, chcąc wybrnąć z trudnej sytuacji, wydał oświadczenie o powołaniu specjalnej komisji, mającej przyjrzeć się wszystkim nazwom ulic i placów w mieście oraz zaproponować ewentualne zmiany[6]. Nowe nazwy ulic ogłoszono 28 października 1916 r., przy czym stwierdzono: „Co do ulicy Berga, ta na mocy dawniejszej uchwały rady miejskiej nazywać się będzie Traugutta"[7]. Ulicę Włodzimierską przemianowano na Tadeusza Czackiego, Pawła Kotzebue – na Aleksandra Fredry, Erywańską – na Kredytową. Ulica Kaliksta stała się ulicą Śniadeckich, Teodora – ulicą Tytusa Chałubińskiego, Leopoldyny – ulicą Emilii Platerówny (dziś Emilii Plater). Ulicę Nowoaleksandrowską na Mokotowie zmieniono na Puławską, Junkierską – na Kozią, a plac św. Aleksandra zmienił nazwę na Trzech Krzyży. Uległy też zmianie nazwy ulic na Pradze. I tak: ulicę Aleksandrowską przemianowano na Zygmuntowską, a Konstantynowską – na Floriańską. Komisja praska pod przewodnictwem Wacława Sieroszewskiego wnioskowała ponadto o nadanie innym tamtejszym ulicom nazw Jakuba Jasińskiego, króla Władysława IV (założyciela Pragi) czy Działyńskich (dawnych posiadaczy wsi Praga). Sugerowano również, by ulicę dojazdową do mostu Poniatowskiego nazwać aleją ks. Józefa Poniatowskiego[8].

Derusyfikacja – rosyjskie pomniki

Po derusyfikacji ulic (zmiana ich nazw odbyła się dość gładko, poza ul. Traugutta), przyszła kolej na pomniki pozostawione przez Rosjan. Szczególnie znienawidzone były dwa.

---

[5] *Bergerzy*, „Głos Robotniczy", 9 IX 1916 r., nr 2, s. 3.

[6] *Ibidem*.

[7] *Zmiana nazw ulic...*, s. 5.

[8] *Zmiana nazw ulic*, „Godzina Polski" (wyd. popołudniowe), 11 XI 1916 r., nr 314, s. 3.

Pomnik Polaków poległych za wierność carowi przed Pałacem Saskim.

Pierwszy z nich to pomnik wyższych oficerów polskich, którzy usiłowali nie dopuścić do wybuchu Powstania Listopadowego i za to zostali rozstrzelani. Po upadku powstania na rozkaz Mikołaja I uczczono ich pamięć. Car osobiście zatwierdził projekt pomnika autorstwa Antonia Corazziego, wybrał miejsce (pl. Saski, obecnie Piłsudskiego) i przez cały czas nadzorował postęp prac. Był też autorem inskrypcji umieszczonej na pomniku: „Polakom, poległym 17 (29) listopada 1830 r. Za wierność swemu Monarsze”[9]. Trzynastometrowy obelisk, odlany ze zdobytych powstańczych armat, był ustawiony na czworobocznym postumencie, na którym umieszczono cztery pozłacane dwugłowe orły. Na ośmiu skarpowych stopniach przylegających do postumentu leżało tyleż lwów odlanych z żelaza. Pomnik, od początku nazywany pomnikiem hańby, szybko doczekał się złośliwego wierszyka: „Osiem lwów i czterech ptaków pilnuje siedmiu łajdaków” (na tablicy

[9] K. Sokoł, A. Sowa, *Stulecie w kamieniu i metalu. Rosyjskie pomniki w Polsce w latach 1815–1915*, Moskwa 2005, s. 56–58.

> Szczególnie znienawidzone były dwa pomniki postawione przez Rosjan. Jeden upamiętniał wyższych oficerów polskich, którzy usiłowali nie dopuścić do wybuchu Powstania Listopadowego, drugi – feldmarsz. Iwana Paskiewicza.

były wypisane imiona i nazwiska zabitych generałów: Maurycego Haukego, Stanisława Potockiego, Józefa Nowickiego, Ignacego Blumera, Stanisława Trębickiego, Tomasza Jana Siemiątkowskiego i ppłk. Filipa Meciszewskiego). Gdy zapadła decyzja o budowie na pl. Saskim soboru św. Aleksandra Newskiego, pomnik przeniesiono na pl. Zielony (obecnie Dąbrowskiego).

Wniosek o zlikwidowanie monumentu zgłosił w imieniu środowisk niepodległościowych członek Rady Miejskiej Gustaw Daniłowski. Sprzeciw, i to bardzo gwałtowny, zgłosili bergerzy pod wodzą radnego Ignacego Rządа, który wygłosił płomienną mowę w obronie pomnika. Nie negując potrzeby jego zburzenia, pragnął przesunąć je na czas późniejszy, gdy sytuacja Polski stanie się klarowna, a państwo będzie w pełni suwerenne. Uważał, że taki akt w tej właśnie chwili zostanie uznany za przejaw polskiego barbarzyństwa i ślepej zemsty, zaszkodzi sprawie polskiej na arenie międzynarodowej, skompromituje Polaków w oczach światowych elit. Sprawę usiłowano więc przewlekać, ale zwolennicy rozbiórki byli silniejsi i bardziej zdecydowani. Już w lutym 1917 r. uzyskano zgodę władz niemieckich na usunięcie „tego znienawidzonego przez Polaków monumentu”[10]. Wydział budownictwa otrzymał polecenie sporządzenia kosztorysu rozbiórki. Kilka tygodni później rozpoczęto prace „nad rozebraniem pomnika na pl. Zielonym, na co asygnowano rb. 6000”[11]. Prace te posuwały się szybko mimo silnego mrozu. Najszybciej poszedł demontaż ozdób, później roznitowano brzegi pomnika. Zdjęte części składowano tymczasowo obok rozbieranego monumentu, potem miały zostać wywiezione pod arkady wiaduktu mostu Poniatowskiego. Był również projekt, aby zdjęte lwy wykorzystać do przyozdobienia któregoś placu w mieście[12]. O ile rozbiórka postępowała dosyć szybko, o tyle wywożenie poszczególnych elementów szło

[10] *Rozbiórka pomnika hańby na Placu Zielonym*, „Nowa Gazeta” (wyd. popołudniowe), 15 II 1917 r., nr 80, s. 2.

[11] *Rozebranie pomnika*, „Głos Stolicy”, 24 II 1917 r., nr 55, s. 3.

[12] *Rozbiórka pomnika hańby*, „Głos Stolicy”, 8 III 1917, nr 64, s. 3.

Pomnik Iwana Paskiewicza na dziedzińcu Pałacu Namiestnikowskiego (obecnie Prezydenckiego) przy Krakowskim Przedmieściu.

znacznie wolniej „i z tego względu skwer na placu Zielonym od ulicy szkolnej przedstawia wielkie rumowisko żelaza i cegły, spomiędzy których widnieją porozrzucane w fantastycznych pozach lwy i orły"[13].

Już po rozbiórce monumentu urząd niemieckiego generalnego gubernatora stwierdził niespodziewanie, „że pomnik na pl. Zielonym pozostaje w dyspozycji władz okupacyjnych i – zdaniem tych władz – nie posiada żadnej wartości historycznej ani artystycznej. Wobec tego części metalowe pomnika – [...] – winny być dostarczone Wydziałowi Surowców Wojennych, ten ostatni zaś zawiadomił miasto, że tablice brązowe z nazwiskami pozostaną do dyspozycji miasta, reszta zaś metali winna być odwieziona do składu Wydziału"[14]. Tak oto pomnik „siedmiu łajdaków" wspomógł wysiłek wojenny kajzerowskich Niemiec. Nie sposób ustalić, czy przetopiony metal posłużył do produkcji działa, pocisku, czy karabinu, ale jest prawdopodobne, że generałowie lojaliści, choć za życia tego nie chcieli, w pewnym

[13] „Głos Stolicy", 25 III 1917, nr 81, s. 3.

[14] *Pomnik na pl. Zielonym*, „Nowa Gazeta" (wyd. poranne), 18 III 1917 r., nr 131, s. 3.

Rozbiórka pomnika Iwana Paskiewicza.
Fot. NAC

symbolicznym sensie walczyli z Rosjanami. Ot, taki ironiczny chichot historii. Z całego pomnika ocalała tablica z nazwiskami, umieszczona w Muzeum Narodowym.

Inaczej potoczyły się losy pomnika feldmarsz. Iwana Paskiewicza, który zdobył Warszawę i rozproszył polskie wojsko, kończąc tym samym Powstanie Listopadowe. Monumentalna figura Paskiewicza, odlana z brązu, była ustawiona na żelaznym postumencie ozdobionym girlandami. Podstawę wykonano z ciemnego, szlifowanego granitu finlandzkiego. Pomnik kosztował 62 tys. rubli. Odsłonięto go 21 lipca 1870 r. przed Pałacem Namiestnikowskim na Krakowskim Przedmieściu[15].

Warszawski magistrat 13 kwietnia 1917 r. zdecydował o usunięciu tego monumentu, przy czym postanowiono, że w tym miejscu stanie pomnik ks. Józefa Poniatowskiego dłuta Bertela Thorvaldsena. Z końcem października 1917 r. rozpoczęto ustawianie przy pomniku Paskiewicza rusztowań koniecznych do jego demontażu. Po zdjęciu z cokołu posąg miał być przechowywany przez zarząd miasta aż do wymiany na pomnik Poniatowskiego, który znajdował się w rękach spadkobierców Paskiewicza: „Rodzina Paskiewiczów składa się z dwóch linii, rosyjskiej i polskiej. Obie cieszą się dobrą reputacją. Linia rosyjska należała do opozycji i nie utrzymywała kontaktów z dworem carskim"[16].

---

[15] K. Sokoł, A. Sosna, *Stulecie...*, s. 68.

[16] *Dwa pomniki*, „Myśl Niepodległa", 10 VI 1917 r., nr 382, s. 374.

Właściciele Homla wystąpili do władz Warszawy z propozycją wymiany pomników, gdy tylko nadarzą się sprzyjające okoliczności. Zdemontowaną figurę Paskiewicza złożono tymczasem pod wiaduktem przy ul. Karowej. Po zakończeniu wojny z bolszewikami planowano powrócić do koncepcji wymiany monumentów, ale rząd sowiecki oddał pomnik k sięcia Józefa bezpłatnie[17]. Sprawa wydawała się zamknięta, jednak po kilku latach o pomniku Paskiewicza znów zrobiło się głośno. W 1925 r. gazety donosiły, że posąg feldmarszałka ma zostać ustawiony na dziedzińcu Muzeum Narodowego. Władze Warszawy zareagowały natychmiast, publikując następujące wyjaśnienie: „Sprawa przeniesienia pomnika Paskiewicza w inne miejsce wynikła jedynie w skutek [pisownia oryginalna] konieczności przeprowadzenia remontu pomieszczenia, w którem posąg ten obecnie się znajduje, a które potrzebne jest wydziałowi technicznemu na inny cel. Do czasu zdecydowania o jego losach, posąg będzie złożony w innym składzie miejskim, a mianowicie w składzie teatralnym"[18]. W niedługim czasie pomnik został oddany na złom i przetopiony.

Dwa jeszcze monumenty były darzone w Warszawie szczególną niechęcią. Pomnik bitwy grochowskiej z 1831 r., sławiący rzekome zwycięstwo wojsk carskich, i pomnik zdobycia Warszawy, ustawiony na Woli. Oba, odsłonięte w latach 1846–1847, miały formę ośmiobocznych, żelaznych kolumn stożkowych, zwieńczonych ażurowymi, pozłacanymi kopułkami z prawosławnym krzyżem. Prowadziło do nich kilka kamiennych, granitowych stopni. We wrześniu 1905 r. pomnik na Woli został uszkodzony przez wybuch podłożonej bomby, ale uszkodzenia natychmiast usunięto. Oba monumenty zdemontowano i przetopiono na złom w latach dwudziestych XX w.[19]

Symbol derusyfikacji – rozbiórka soboru św. Aleksandra Newskiego

Proces derusyfikacji to – oprócz zmian nazw ulic, usuwania rosyjskich napisów i emblematów oraz pomników sławiących zaborcę – przede wszystkim pozbycie się z przestrzeni miasta licznych cerkwi. Do rangi symbolu urasta sprawa rozbiórki,

[17] K. Sokoł, A. Sosna, *Stulecie...*, s. 69.

[18] *O pomnik Paskiewicza*, „Kurjer Warszawski" (wyd. wieczorne), 20 III 1925 r., nr 79, s. 3.

[19] K. Sokoł, A. Sosna, *Stulecie...*, s. 59–66.

Katedralny sobór św. Aleksandra Newskiego.

względnie wyburzenia, soboru św. Aleksandra Newskiego na pl. Saskim, swego czasu przemianowanym przez Rosjan na pl. Soborowy. Budowa trwała osiemnaście lat (1894–1912) i kosztowała kilka milionów rubli (założenia kosztorysowe zostały przekroczone wielokrotnie). W efekcie powstała monumentalna świątynia, która swym ogromem zdominowała otoczenie, a jej wschodni, bizantyjski styl wyraźnie kontrastował z architekturą Warszawy. Pozłacane kopuły były widoczne z daleka, a siedemdzie sięciotrzymetrowa dzwonnica stała się najwyższym obiektem w mieście.

Od samego początku sprawa budziła ogromne emocje. Pisano: „Sobór ten jest widomym symbolem naszej niewoli, hańby i poniżenia. Był on nie w celach kultu postawiony, ale w celach zaborczej polityki gwałtu. [...] My, Polacy, nawet w ubogiej architektonicznie Warszawie mieliśmy i mamy ideę i nie możemy pozwolić na to, aby nam byle cham rosyjski psuł rzeczy piękne”[20]. Ale byli też zagorzali obrońcy świątyni. Wysuwali argumenty polityczne – obawiając się ukraińskich

[20] S. Pieńkowski, *W sprawie soboru*, „Gazeta Warszawska”, 3 I 1919, nr 3, s. 4.

i rosyjskich retorsji wobec świątyń katolickich; gospodarcze – ogromne koszty rozbiórki wobec innych, pilniejszych potrzeb państwa; historyczne – czasy saskie nie należą do chlubnych kart naszych dziejów, a i rewie wojskowe wielkiego k sięcia Konstantego na pl. Saskim nie są godne pamięci; religijne – sobór stał się świątynią katolicką, więc jego zburzenie będzie aktem świętokradztwa; estetyczne – różne oceny wartości artystycznej soboru wymagają powołania komisji, najlepiej międzynarodowej[21]. Wszystkich tych obrońców soboru św. Aleksandra Newskiego pisarz Stanisław Pieńkowski nazywał soborytami i odsądzał od czci i wiary. Zdecydowanie też zwalczał ich argumenty. Sobór uznawał za „obcego potwora", który swym „nieproporcjonalnym cielskiem" przytłacza piękny plac, a na argument o współistnieniu kultur (z odwołaniem do przykładów włoskich) odpowiadał: „Co we Włoszech było dziełem wiekowego współżycia i poszukiwań architektonicznych, to u nas w danym przypadku jest tylko dziełem urągliwej biurokracji rosyjskiej. Pielęgnuje się zabytki historii sztuki i ducha, ale nie pielęgnuje się knuta, który nam ten cham wetknął w mniemaną przez się mogiłę naszą"[22].

Ostateczną decyzję w sprawie świątyni podjęła 31 stycznia 1920 r. sejmowa podkomisja robót publicznych – na posiedzeniu z udziałem przedstawicieli ministerstw Robót Publicznych oraz Sztuki i Kultury, miasta st. Warszawy, Koła Architektów, Związku Budowniczych Polskich i Towarzystwa Opieki nad Zabytkami Przeszłości. Zdecydowano się rekomendować sejmowi przyjęcie uchwały o całkowitej rozbiórce dzwonnicy i soboru, aż do fundamentów, i przystąpienie do działań zaraz po uchwale sejmu[23]. Prace wyburzeniowe przy dzwonnicy rozpoczęto 20 stycznia 1921 r., a zakończenie przewidywano na sierpień tegoż roku, przy czym szacowany koszt rozbiórki miał przekroczyć sumę 7 mln marek polskich[24]. Sobór nadal pełnił funkcję kościoła katolickiego, jednak

„Do rangi symbolu urasta rozbiórka soboru św. Aleksandra Newskiego na pl. Saskim. Pisano: »Był on nie w celach kultu postawiony, ale w celach zaborczej polityki gwałtu«."

[21] *Sprawa soboru*, „Gazeta Warszawska", 6 II 1920 r., nr 36, s. 7.

[22] S. Pieńkowski, *Soboryci*, „Gazeta Warszawska", 7 V 1920 r., nr 124, s. 6–7.

[23] Protokół posiedzenia sejmowej podkomisji robót publicznych z dn. 31 I 1920 r., s. 58.

[24] *Burzenie dzwonnicy*, „Gazeta Warszawska", 27 V 1921 r., nr 142, s. 4.

pogarszający się stan techniczny spowodował zamknięcie obiektu. Rozważano co prawda możliwość remontu i konserwacji gmachu, jednak zrezygnowano z tego po obliczeniu rocznych wydatków na ten cel (100 mln marek polskich). Nie podjęto też konserwacji malowideł, ograniczając się tylko do mozaik przedstawiających wyższą wartość artystyczną[25]. Na czas rozbiórki soboru pl. Saski zmienił się w wielkie składowisko gruzu, kamienia i całych płyt granitowych i marmurowych. Wywożono je sukcesywnie, choć nie bez trudności – ze względu na duży ciężar i znaczne gabaryty. Prace posuwały się powoli, gdyż do kruszenia ścian używano ładunków wybuchowych niewielkiej mocy, aby nie zaszkodzić gmachom sąsiadującym z placem. Dnia 22 czerwca 1926 r. „Rzeczpospolita" zamieściła krótką notatkę następującej treści: „Ostateczne uprzątnięcie gruzów soboru z placu Saskiego dobiega końca. Prowadzone są jeszcze roboty nad wydobyciem puszki z aktem erekcyjnym, [...] oczyszczenie placu i oddanie go do użytku publicznego nastąpi w piątek dn. 25 b.m. w godzinach popołudniowych"[26].

Jeśli chodzi o pozostałe cerkwie znajdujące się w Warszawie, część została zwrócona katolikom (dawne kościoły katolickie zabrane przez Rosjan i przebudowane na cerkwie), jak na przykład sobór Trójcy Świętej (obecnie kościół garnizonowy), cerkiew Matki Boskiej Włodzimierskiej (obecnie kościół św. Wawrzyńca na Woli), grekokatolikom zwrócono cerkiew Trójcy Świętej (istnieje do dziś), cerkiew świętych Piotra i Pawła została oddana ewangelikom i dziś jest ewangelickim kościołem garnizonowym. Nieco bardziej skomplikowane były losy cerkwi św. Martyniana – początkowo (do 1939 r.) była kościołem garnizonowym I Pułku Szwoleżerów Józefa Piłsudskiego, dziś jest katedrą Kościoła polskokatolickiego. Znaczną część cerkwi zlikwidowano, jak na przykład wszystkie kaplice w gmachach publicznych, na dworcach kolejowych i w Łazienkach. Zburzono cerkiew św. Olgi i cerkiew św. Michała Archanioła, a po zlikwidowaniu cerkwi Świętej Tatiany przywrócono dawny wygląd pałacu Staszica[27]. W dzisiejszej Warszawie są dwie cerkwie: jedna (św. Marii Magdaleny) znajduje się na Pradze, druga zaś (św. Jana Klimaka) na Woli.

---

[25] *B. sobór na placu Saskim*, „Kurjer Warszawski" (wydanie poranne), 10 VI 1922 r., nr 156, s. 3.

[26] *Ostatnie prace przy soborze*, „Rzeczpospolita" , 26 VI 1926 r., nr 167, s. 4.

[27] Wszystkie dane zostały zaczerpnięte z pracy P. Przeciszewskiego *Warszawa. Prawosławie i rosyjskie dziedzictwo*, Warszawa 2011.

Przeciwnicy derusyfikacji

Można założyć, że z końcem lat dwudziestych ubiegłego wieku problem derusyfikacji został rozwiązany. Należy jednak zaznaczyć, że wcześniej nie przebiegała ona bezkonfliktowo. Było wielu takich, o których Władysław Wankie pisał we wrześniu 1919 r. w „Kurjerze Polskim": „Jest pewna kategoria ludzi, którym zgoła obcym jest wszystko na świecie prócz interesu własnego, otóż tym naturalnie brak[uje] odbiorcy moskiewskiego, [który] sypał bumażki, brał bez rachuby dobre – niedobre padawaj! [...] Wszystko, cokolwiek nasz rząd postanowi, wszystko, cokolwiek sami nowego zrobimy, wszystko dla tej swołoczy jest niedobre. Moskal bił w mordę, kopał, dręczył, znieważał... ale płacił! – Causa finita"[28]. Stwierdzając uczciwie, że nie jest to tylko polska specjalność, lecz ogólnoświatowa, autor próbował odpowiedzieć na pytanie, kto i dlaczego blokuje proces derusyfikacji. Według niego, „są [u nas] natury dyletanckie, ot takie fuszery życiowe, co same nie wiedzą, czego właściwie chcą, niezupełnie przepadają »za dawnymi, lepszymi czasy«, ale i obecne czasy im nie pasują, chcieliby jakiegoś kompromisu, jakiegoś porozumienia. [...] Ta kategoria oportunistów jest jako piasek w morzu, każdy, komu nie spadła synekura, każdy, który nie jest w ani w żadnym ministerstwie, ani nawet Magistracie" zaczyna szukać sposobności, by gdzieś się przykleić, w jakiś sposób zabłysnąć choć na chwilę, jednocześnie dla tych miernot bez charakteru wszystko, co przypomina minione czasy, stanowi cenną pamiątkę, by nie powiedzieć relikwię, i temu tylko przypisać możemy, że tyle tych »pamiątek« po dziś dzień zaśmieca Warszawę"[29]. Niech każdy sam oceni, na ile te słowa są aktualne dzisiaj. ▪

---

[28] W. Wankie, *Cerkiew na Placu Saskim. Najkrwawszy symbol caryzmu* „Kurjer Polski", 1 IX 1919 r., nr 227, s. 3.

[29] *Ibidem.*

Piotr Jaźwiński (ur. 1954) – historyk, pracownik Oddziałowego Biura Upamiętniania Walk i Męczeństwa IPN w Warszawie. Autor książek *Oficerowie i dżentelmeni. Życie prywatne i służbowe kawalerzystów Drugiej Rzeczpospolitej* (2011); *Oficerowie i konie. Przyjaźń na śmierć i życie* (2012); *Wołynianki. Z Wołynia do PRL* (2014).

NR 9 (154), wrzesień 2018

Egzekucja dwudziestu Polaków w Lesznie pod murami więzienia przy ul. Kościuszki, 20 października 1939 r. Fot. AIPN

Waldemar Grabowski

Straty osobowe II Rzeczypospolitej w latach II wojny światowej

Czy można ustalić dokładną liczbę?

Zagadnienie strat osobowych (bezwzględnych) II Rzeczypospolitej było przedmiotem dociekań różnych instytucji już w czasie II wojny światowej. Informacje na ten temat podało Ministerstwo Prac Kongresowych Rządu RP w Londynie we wrześniu 1944 r. Stwierdzono wówczas, że II RP straciła 4 114 000 swoich obywateli, w tym 2 481 000 Żydów.

Od września 1944 r. do końca wojny, przynajmniej w Europie – maj 1945 r. – było jeszcze kilka miesięcy. Po zakończeniu wojny to władze „ludowej" Polski miały zdecydowanie większe możliwości badania tego zagadnienia, niż prawowity rząd RP znajdujący się w Londynie.

Próby oszacowania strat osobowych były podejmowane kilkakrotnie, zarówno przez instytucje państwowe, jak i historyków. Instytucje państwowe to Biuro Odszkodowań Wojennych funkcjonujące przy Prezydium Rady Ministrów oraz Ministerstwo Finansów.

Tabela 1. Przyczyny zgonów ludności II Rzeczypospolitej (w tys.)

	BOW 1947[1]	MF 1951[2]	Łuczak 1993[3]	Bajer 1996[4]
Bezpośrednie działania wojenne	644	550	450	543
Terror okupanta niemieckiego	5384	4525,7	5100	2125
Razem	6028	5075,7	5500	2678[5]

Za najbardziej prawdopodobną liczbę strat osobowych II Rzeczypospolitej należy, w chwili obecnej, przyjąć liczbę ok. 5 900 000. Choć musimy cały czas mieć na uwadze, że są to wszystko dane szacunkowe.

[1] *Sprawozdanie w przedmiocie strat i szkód wojennych Polski w latach 1939–1945*, Warszawa 1947.

[2] *Problem reparacji, odszkodowań i świadczeń w stosunkach polsko-niemieckich 1944–2004*, t. 2: *Dokumenty*, red. S. Dębski, W.M. Góralski, Warszawa 2004, s. 57.

[3] C. Łuczak, *Polska i Polacy w drugiej wojnie światowej*, Poznań 1993, s. 683. Ponadto autor podaje liczbę zmarłych i zamordowanych poza terytorium II RP (ZSRS, III Rzesza) – 500 000 oraz 2000 jako liczbę zmarłych w innych krajach.

[4] K. Bajer, *Zakres udziału Polaków w walce o niepodległość na obszarze państwa polskiego w latach 1939–1945*, „Zeszyty Historyczne Stowarzyszenia Żołnierzy Armii Krajowej" 1996, nr 1, s. 14.

[5] Uwaga: K. Bajer koncentruje się na Polakach, a nie na obywatelach II Rzeczypospolitej. Stąd też jego wyliczenia nie obejmują osób innych (poza polską) narodowości. Dodając straty polskich Żydów (ok. 2 900 000), otrzymujemy liczbę 5 578 000 osób.

Poważnym utrudnieniem w procesie dochodzenia do ustalenia faktycznej wielkości strat osobowych są kategorie strat, jakie zostały wprowadzone przez autorów dotychczasowych szacunków. Każdy z nich stosował trochę inne kryteria. W związku z tym przeprowadzenie obecnie nawet bardzo dokładnych badań jednej grupy ofiar – nie wpływa w sposób zasadniczy na zmianę szacunków całości strat.

W okresie Polski „ludowej" praktycznie nie uwzględniano w wyliczeniach strat państwa polskiego poniesionych pod okupacją sowiecką, szerzej na wschodzie. W małym stopniu uwzględniano także straty wśród obywateli II Rzeczypospolitej innych narodowości niż polska i żydowska. Dopiero po 1989 r. dokonano takich szacunków.

W sprawie strat bezwzględnych na wschodzie wśród Polaków dość powszechnie przyjmuje się liczbę ok. 500 000. Natomiast straty wśród mniejszości narodowych (poza Żydami) w całej II RP określa się na ok. 1 mln osób[6]. Straty polskich Żydów powszechnie określono jako ok. 3 mln[7] (ok. 2 900 000[8]).

Skalę problemów w ustaleniu precyzyjnej liczby obywateli polskich, którzy utracili życie, dość wymownie obrazują prace nad ustaleniem strat Wojska Polskiego. W zależności od źródła możemy podać rozpiętość tych strat od 123 178[9] do 147 256[10], przy czym w tym ostatnim wypadku należałoby dodać straty Armii Krajowej (ZWZ-AK) poza Powstaniem Warszawskim. Dodajmy, w latach dziewięćdziesiątych XX wieku opublikowano dane imienne dotyczące 119 720 żołnierzy. Jest to najbardziej rozpoznana grupa strat osobowych – od 81,30 do 97,19% w zależności od przyjętej wielkość strat.

---

[6] Zob. C. Łuczak, *Szanse i trudności bilansu demograficznego Polski w latach 1939–1945*, „Dzieje Najnowsze" 1994, nr 2, s. 9–14.

[7] Komisja pracująca przy Ministerstwie Finansów w latach 1949–1951 określiła straty polskich Żydów na 3 378 000.

[8] C. Łuczak, *Szanse i trudności bilansu ...*, s. 9–14.

[9] *Sprawozdanie w przedmiocie strat i szkód wojennych Polski w latach 1939–1945*, Warszawa 1947.

[10] T. Panecki, *Wysiłek zbrojny Polski w II wojnie światowej*, „Wojskowy Przegląd Historyczny" 1995, nr 1–2, s. 13, 18.

Tabela 2. Ludność Polski w latach 1921–1970 (w tys.)

Stan na dzień	Ogółem	gęstość zaludnienia
30 IX 1921	27 177	70
9 XII 1931 (388 634 km^2)	32 157	83
31 VIII 1939[11] (389 720 km^2)	35 339	90,7
1 III 1943 (145 180 km^2 + 91 902 km^2 + 41 701 km^2 + 15 840 km^2 = 294 623 km^2)	14 854 + 10 500[12] + 1 740,5[13] + 743,5[14] = 27 828	102
14 II 1946 (312 677 km^2)	23 930[15]	77
3 XII 1950	25 008	80
6 XII 1960 (311 730 km^2)[16]	29 776	95
31 XII 1970	32 658	104

Przyjmując dane z powyższej tabeli można stwierdzić, że w wyniku II wojny światowej państwo polskie utraciło 11 409 000 mieszkańców. Jest to jednak

[11] Dane szacunkowe według *Małego rocznika statystycznego Polski wrzesień 1939 – czerwiec 1941*, Londyn 1941, s. 5.

[12] Mieszkańcy ziem wcielonych do III Rzeszy bez Okręgu Białystok, stan ze stycznia 1944 r. W tym 6 115 000 Polaków, 1 761 000 Polaków wpisanych na niemiecką listę narodowościową oraz 1 724 000 Niemców – C. Łuczak, *Polska i Polacy w drugiej wojnie światowej*, Poznań 1993, s. 153.

[13] Mieszkańcy polskich ziem (41 701 km^2) wchodzących w skład Generalnego Okręgu Białorusi. Stan ze stycznia 1944 r. – J. Turonek, *Białoruś pod okupacją niemiecką*, s. 64.

[14] Dane dotyczą „okręgu wileńskiego" włączonego do Generalnego Komisariatu Litwy w 1941 r., dane za 1942 r. – M. Wardzyńska, *Sytuacja ludności polskiej w Generalnym Komisariacie Litwy czerwiec 1941 – lipiec 1944*, Warszawa 1993, s. 25–27.

[15] W tym 20,5 mln Polaków oraz 2,3 mln Niemców – A. Gawryszewski, *Ludność Polski w XX wieku*, Warszawa 2005, s. 92.

[16] Taka wielkość była podawana w oficjalnych opracowaniach. Dopiero w *Roczniku statystycznym 1963* (s. 1) podano, że według nowych obliczeń powierzchnia Polski wynosi 312 520 km^2.

wyliczenie niezbyt precyzyjne. Należy uwzględnić, że spis powszechny odbył się w 1931 r. i wówczas państwo polskie liczyło 32 157 000 obywateli. Liczba ludności w 1939 r. opiera się na danych szacunkowych.

Natomiast bardzo interesujące dane dotyczące spisu z 14 II 1946 r. podaje GUS. Okazuje się, że różnica liczby mieszkańców (jej zmniejszenie) na „ziemiach dawnych" II RP jakie weszły w skład Polski „ludowej" wynosiła 2 994 400. Natomiast na „ziemiach odzyskanych" ta różnica wynosiła 3 399 5000 – ale musimy pamiętać, że na tych ziemiach przed wojną nie mieszkali obywatele II RP. Nie możemy więc powiedzieć, że państwo polskie w wyniku II wojny światowej straciło 6 393 900 mieszkańców. W dodatku GUS w swoich wyliczeniach posługiwał się danymi spisu z 1931 r., a nie szacunkami dotyczącymi 1939 r.!

Należy też podkreślić, że luty 1946 r. nie był datą graniczną powrotu obywateli polskich „nad Wisłę". Do końca 1948 r. tylko z ZSRS zostało przesiedlonych 658 140 obywateli II RP, w tym było 94,46% Polaków. Według innych danych – w latach 1946–1949 „ze wschodu" miano przesiedlić 689 000 osób. Natomiast według GUS w latach 1944–1949 do Polski zostało przesiedlonych z ZSRS – 1 529 498 osób.

W latach 1939–1941 na Kresach Wschodnich II RP, okupowanych przez ZSRS, mieszkało, według szacunków, 13 199 000 osób. W tym ok. 40% było Polakami, czyli ok. 5 280 000. Wyjmując z tych obliczeń Białostocczyznę, która liczyła w 1933 r. 1 041 100 mieszkańców otrzymujemy ok. 12 160 000; z tego 40% (Polacy) – 4 864 000. Mając na uwadze podane powyżej liczby przesiedlonych z ZSRS do Polski w latach 1944–1949 „brakuje" ok. 3 mln Polaków. Część z nich zapewne pozostała w miejscach swojego zamieszkania i stała się obywatelami ZSRS, ale część zginęła m.in. w łagrach, więzieniach, w wyniku działań wojennych lub jako żołnierze sowieccy.

Jak widzimy ponad 7 mln osób spośród mniejszości narodowych zamieszkiwało Kresy Wschodnie, gdzie pod okupacją sowiecką ok. 8,4% stanowiła ludność żydowska, 34,4% mniejszość ukraińska, 8,5% mniejszość białoruska, 1% mniejszość rosyjska, 0,7% mniejszość niemiecka, 0,6% mniejszość litewska oraz 0,3% mniejszość czeska. Jak wspomniano straty mniejszości narodowych w całej II RP (poza Żydami) szacowane są na 1 mln osób.

Poważnym problemem ludnościowym były Polskie Siły Zbrojne na Zachodzie. Jeszcze w lipcu 1947 r. na terenie Wielkiej Brytanii przebywało 142 000 żołnierzy, a ok. 30 000 służyło w oddziałach wartowniczych w Niemczech. W latach 1946–1948 do Polski wróciło 74 459 żołnierzy PSZ.

Według danych GUS – w latach 1944–1949 do Polski wróciło 2 282 042 obywateli z innych państw niż ZSRS, w tym 665 983 osób w latach 1946–1949. I to należałoby uwzględnić, dodając do wyników spisu z lutego 1946 r.

Jeżeli rozpatrujemy możliwość ustalenia w miarę precyzyjnych danych dotyczących strat osobowych państwa polskiego w wyniku II wojny światowej, to należy podkreślić konieczność prowadzenia nadal badań poświęconych poszczególnym miejscowościom (miastom, miasteczkom itp.). Takie badania były prowadzone w przeszłości. Dla przykładu podajmy, że liczba mieszkańców Poznania według danych GUS z lat 1939 i 1946 zmniejszyła się o 3299 osób. Natomiast faktycznie aż 14 413 mieszkańców tego miasta utraciło życie[17].

W Warszawie według danych z 1939 i 1946 r. „ubyło" 702 050 mieszkańców[18]. Natomiast według dotychczasowych badań straciło życie 685 000 mieszkańców stolicy[19]. ▪

[17] W. Grabowski, *Represje niemieckie i sowieckie w okresie II wojny światowej* [w:] *Archeologia totalitaryzmu. Ślady represji 1939–1956*, red. O. Ławrynowicz, J. Żelazko, Łódź 2015, s. 23–40.

[18] A. Gawryszewski, *Ludność Polski w XX wieku*, Warszawa 2005, s. 565.

[19] *Straty Warszawy 1939–1945. Raport*, red. W. Fałkowski, Warszawa 2005, s. 301.

Waldemar Grabowski (ur. 1957) – historyk, dr hab., pracownik Biura Badań Historycznych IPN. Autor książek: *Delegatura Rządu Rzeczypospolitej Polskiej na Kraj 1940–1945* (1995); *Polska tajna administracja cywilna 1940–1945* (2003); *Państwo polskie wychodzi z podziemi. Cywilne struktury Polskiego Państwa Podziemnego w Powstaniu Warszawskim* (2007); *Szefostwo Biur Wojskowych Komendy Głównej Związku Walki Zbrojnej – Armii Krajowej* (2011); *Kryptonim Moc. Sekcja Spraw Zagranicznych Delegatury Rządu RP na Kraj* (2015) i in.

BIULETYN IPN
PISMO O NAJNOWSZEJ HISTORII POLSKI
NR 9 (154), wrzesień 2018

Ewa Żaboklicka

Opieka państwa nad cmentarzami wojennymi

Miliony żołnierzy poległo na ziemiach polskich w samym tylko wieku XX. Troska o ich mogiły to zadanie dla państwa i organizacji społecznych.

Mogiła powstańców z 1831 r. na szańcach wolskich w Warszawie. Fot. NAC

Cmentarze I wojny światowej

I wojna światowa – ze względu na rozwój techniki i zastosowanie nowoczesnych rodzajów broni – przyniosła ogromną liczbę ofiar, nieporównywalną z poprzednimi konfliktami zbrojnymi. Uznaje się, że na wszystkich jej frontach poległo ok. 10 mln żołnierzy, z czego ok. 5 proc. było Polakami.

Na ziemiach, które weszły później w skład II RP, walczyły armie: austro-węgierska, niemiecka i rosyjska. Polacy byli wcielani do wojska wszystkich trzech państw zaborczych. Polscy ochotnicy z Francji, Stanów Zjednoczonych i właściwie wszystkich stron świata, którzy znaleźli się w Armii Hallera, byli formalnie żołnierzami francuskimi, a Legiony Piłsudskiego stanowiły część wojsk austro-węgierskich. Nic więc dziwnego, że niekiedy Polacy walczyli przeciwko sobie, a zdarzało się nawet, że w tej samej bitwie po dwóch różnych stronach brali udział członkowie jednej rodziny.

Jeszcze w trakcie działań wojennych, ze względów sanitarnych, istniała konieczność szybkiego organizowania pochówków. Poległych chowano bezpośrednio na polu walki lub w jego najbliższej okolicy, najczęściej w prowizorycznie urządzanych mogiłach zbiorowych. Żołnierzy narodowości polskiej grzebano razem z innymi żołnierzami armii, w której służyli. Po przejściu frontu ekshumowano poległych z tymczasowych grobów i przenoszono na nowo zorganizowane cmentarze wojenne. Odpowiadały za to, zgodnie z tradycją, władze wojskowe, a do pracy często wykorzystywano jeńców wojennych lub ludność miejscową.

Międzynarodowa Konwencja Genewska z 6 lipca 1906 r. (o polepszeniu losu rannych i chorych w armiach czynnych) obligowała rządy państw, które do niej przystąpiły, do opieki nad rannymi i poległymi żołnierzami. Konwencję przyjęły m.in. Niemcy, Austro-Węgry i Rosja. Artykuły 3 i 4 stwierdzały: „Po każdej bitwie strona, która zajmować będzie pole bitwy, wyda zarządzenie w celu wyszukania rannych i zabezpieczenia ich, jak również i zabitych przed ograbieniem i złym traktowaniem. Strona ta czuwać będzie, aby przed pogrzebaniem lub spaleniem zabitych zbadano uważnie ich trupy.

Każda ze stron walczących prześle, skoro to tylko okaże się możliwym, władzom kraju poległych, lub też armii, gdzie służyli, oznaki lub wojskowe dowody legitymacyjne, znalezione przy poległych, oraz listę imienną przyjętych przez nią rannych lub chorych.

Rocznica Bitwy Warszawskiej – obchody Święta Żołnierza w Radzyminie. Fot. NAC

Strony walczące będą się wzajemnie informowały odnośnie do internowania oraz zaszłych zmian, jak również co do umieszczeń w szpitalach oraz co do zgonów, zaszłych wśród rannych i chorych znajdujących się w ich mocy. Też strony pozbierają wszelkie przedmioty do osobistego użytku służące, papiery wartościowe, listy itp., jakie znalezione zostaną na polu bitwy lub też pozostawione będą przez rannych lub chorych, zmarłych w tych zakładach i formacjach sanitarnych, celem przesłania tych przedmiotów osobom interesowanym przez władze kraju pochodzenia tych zmarłych"[1].

---

[1] Konwencja w sprawie polepszenia losu rannych wojskowych w armiach w polu będących z 6 VII 1906 r., [w:] *Pomniki praw człowieka w historii*, red. H. Wajs, R. Witkowski, Warszawa 2008, s. 270.

Ku chwale c.k. monarchii

Właściwe pogrzebanie poległych żołnierzy było ważne nie tylko z powodów sanitarnych, lecz również ze względów honorowych i propagandowych. Poległy żołnierz był bohaterem, który zginął za ojczyznę, a jego należyte potraktowanie wzmagało uczucie patriotyczne w społeczeństwie i podnosiło morale wojska. Na najważniejszych nekropoliach monarchii habsburskiej miały powstawać „pomniki głoszące chwałę poległych, zwycięstwo militarne, triumf państwa”[2]. Chodziło o podkreślenie jedności państwa złożonego z kilkunastu narodowości – stąd tak ogromny wysiłek władz austriackich, które po przejściu frontu wschodniego przez tereny zachodniej Galicji rozpoczęły szeroko zakrojone prace przy budowie cmentarzy wojennych.

Odgórnie prace te koordynował powołany w 1915 r. Wydział Grobów Wojennych przy Ministerstwie Wojny Austro-Węgier. Kwota przeznaczona na pochówek jednego żołnierza była niewielka, wynosiła 10 koron, dlatego dodatkowe środki na budowę cmentarzy pozyskiwał Komitet Opieki nad Grobami Wojennymi w Wiedniu, sprzedając m.in. „cegiełki”: pamiątki, pocztówki, akwarele, obrazy, plakietki i odznaki, i to w niebagatelnych ilościach, np. ponad 1,5 mln kart pocztowych i ponad 100 tys. odznak „Troska o groby”[3]. Można zatem uznać, że budowę cmentarzy w Galicji w sporej części sfinansowało społeczeństwo.

Na obszarach zajętych przez wojska austro-węgierskie działało dziewięć oddziałów ds. grobów wojennych, z czego trzy – w Krakowie, Przemyślu i Lwowie – obejmowały tereny Galicji. Na największą uwagę zasługuje działalność IX Oddziału do spraw Grobów Wojennych przy Komendancie Garnizonu w Krakowie. Zajmował się on porządkowaniem pól bitewnych, ekshumacjami, wyborem miejsca na nowe cmentarze oraz opracowaniem ich projektów technicznych i koncepcji artystycznej. Oddział zatrudniał ponad 3 tys. osób różnych specjalności: inżynierów, architektów, rzeźbiarzy, malarzy, rysowników, rzemieślników, a nawet ogrodników. Przed przystąpieniem do budowy wykonywano makiety

---

[2] P. Pencakowski, *Sztuka w hołdzie bohaterom. Austriacko-węgierskie cmentarze wojenne z lat 1914–1918 w Galicji Zachodniej*, „Rocznik Historii Sztuki” 2015, t. XL, s. 130.

[3] A. Partridge, *W stulecie hekatomby. Cmentarze wojenne z lat 1914–1918 w dawnej Galicji Zachodniej jako unikatowy zespół sepulkralny. Dzieje, twórcy, symbolika, stan zachowania, problemy ochrony*, [w:] „Ochrona Zabytków” 2015, nr 1, s. 98–99.

i modele cmentarzy, kapliczek i nagrobków. Każdy cmentarz był projektowany osobno, a jego forma często odwzorowywała przebieg bitwy. Czasem pozostawiano w okolicy leje po wybuchach oraz odtwarzano rowy strzeleckie. Tak na przykład został zaaranżowany cmentarz w Limanowej, zaprojektowany jako plastyczna mapa pola bitwy z grudnia 1914 r. Z kolei na cmentarzu w Lubczy groby żołnierzy rosyjskich i austro-węgierskich usytuowano naprzeciwko siebie – polegli spoczęli tak, jak walczyli. Taka kompozycja cmentarzy bitewnych miała budzić dodatkowe emocje odwiedzających.

Zgodnie z rozkazami w ten sam sposób traktowano zabitych żołnierzy wojsk sprzymierzonych, jak i armii wroga, oddając im taką samą cześć i dokonując pochówku w obrębie jednego cmentarza[4]. Obok siebie aranżowano więc groby żołnierzy armii austro-węgierskiej, niemieckiej i rosyjskiej. Znajdowane przy poległych żołnierzach nieśmiertelniki pozwalały na ich identyfikację. Budowniczym cmentarzy przyświecała myśl: „Po najodleglejsze czasy cmentarze te mają pozostać dla potomnych miejscami katharsis i podniosłych refleksji"[5]. Zatem każdy cmentarz zakładany w miejscach walk na froncie wschodnim, na którym wojska c.k. monarchii odniosły zwycięstwo, odgrywał rolę pomnika sławiącego dzielność żołnierzy. Podkreślała to dodatkowo bogata oprawa architektoniczna i rzeźbiarska[6].

W latach 1915–1918 udało się zaprojektować i wykonać na terenie Małopolski Zachodniej przeszło 400 nekropolii, uznawanych obecnie za sztandarowy przykład sztuki cmentarnej. Do dziś zachowało się ok. 380 z nich.

Niemiecka prostota, rosyjska niedbałość

Literatura na temat organizacji cmentarzy przez armie niemiecką i rosyjską jest dość uboga. Niemiecka dokumentacja w znacznym stopniu uległa zniszczeniu

---

[4] J. Schubert, *Organizacja grobownictwa wojennego w monarchii austro-węgierskiej. Dziewiąty wydział grobów wojennych (Kriegsgräber-Abteilung) przy Ministerstwie Wojny – powstanie i działalność w latach 1915–1918*, „Czasopismo Techniczne. Architektura" 2009, z. 13, s. 172.

[5] R. Broch, H. Hauptman, *Zachodnio-galicyjskie groby bohaterów z lat wojny światowej 1914–1915 r.*, oprac. J.J.P. Drogomir, Tarnów 1996, s. 3, za: W. Szymański, *„O jedno tylko proszę skromnie, nie zapomnijcie nigdy o mnie". Zachodniogalicyjskie cmentarze wojenne w świetle nowych problemów i perspektyw badawczych*, „Przegląd Kulturoznawczy" 2014, nr 4 (22), s. 438.

[6] J. Schubert, *Służby grobownicze armii austro-węgierskiej, niemieckiej i rosyjskiej w czasie I wojny światowej*, „Czasopismo Techniczne. Architektura" 2011, z. 16, s. 216.

Plakat – cegiełka Towarzystwa Polskiego Żałobnego Krzyża.

w latach II wojny światowej, a informacje na temat rosyjskich pochówków pochodzą wyłącznie ze źródeł wtórnych.

W marcu 1915 r. Ministerstwo Wojny w Berlinie wydało wytyczne w sprawie zabezpieczenia wszystkich tymczasowych mogił żołnierskich na terenach zajętych

Pomnik na mogile legionisty Kazimierza Bojarskiego „Kuby". Fot. NAC

przez wojska niemieckie, wychodząc z założenia, że nad grobami wszystkich poległych żołnierzy, zarówno z armii sojuszniczych, jak i wrogich, ma być zapewniona trwała i godna opieka. Miejsca pochówków znakowano krzyżami i tablicami. Równocześnie przystąpiono do sporządzenia spisów poległych. Za przebieg prac odpowiadał prawdopodobnie Wydział Kwatermistrzowski Ministerstwa Wojny, który przygotowywał plany i formułował wytyczne. Ewidencją i budową nowych cmentarzy zajmowały się jego oddziały terenowe.

W pierwszej kolejności prowadzono prace na terenach znajdujących się pod niemiecką okupacją. Cmentarze urządzano kompleksowo, dbając nawet o posadzenie roślinności – tak jakby liczono się z możliwością opuszczenia tych terenów. Podobnie jak na ziemiach zajętych przez armię austro-węgierską, nekropolie miały odgrywać rolę „świadectwa historii i zbiorowego pomnika dla bohaterów, którzy polegli za ojczyznę (*pro patria mortuis*)"[7]. W odróżnieniu od cmentarzy austriackich, niemieckie były skromniejsze i charakteryzowały się prostotą formy architektonicznej i kompozycyjnej.

Armia rosyjska, cofając się, pozostawiała poległych niepochowanych albo grzebała ich w mogiłach zbiorowych, wyrównując w dodatku teren tak, aby nie było śladu po pochówku. Żołnierzom zabierano też dokumenty umożliwiające identyfikację, a zdarzało się nawet umieszczanie błędnych informacji, że w danym miejscu spoczywają żołnierze armii austriackiej. Masowe groby (w tym tak olbrzymie, że mieszczące ok. 2 tys. żołnierzy) odnajdywano dopiero dzięki relacjom okolicznych mieszkańców. Po przeprowadzeniu ekshumacji organizowano dla Rosjan oddzielne cmentarze lub aranżowano wydzielone kwatery na już istniejących nekropoliach. Zdarzały się też przypadki wspólnego chowania żołnierzy rosyjskich i austriackich w jednej zbiorowej mogile – w pojedynczych grobach starano się chować jedynie oficerów.

W latach 1915–1918 nie udało się władzom niemieckim i austro-węgierskim dokończyć wszystkich prac związanych z budową cmentarzy. Niektóre zostały urządzone prowizorycznie, wzniesione z nietrwałych materiałów (np. z drewna), inne miejsca pochówków oznaczono jedynie symbolicznie. Razem z żołnierzami niemieckimi, austriackimi i rosyjskimi we wspólnych mogiłach zostali pochowani żołnierze narodowości polskiej, walczący w armiach państw zaborczych.

W okresie międzywojennym zdarzały się przypadki ekshumacji żołnierzy różnych narodowości walczących w I wojnie światowej i przenoszenia ich szczątków do ojczyzny[8]. Dokonywano też komasacji grobów. Zakres tych prac pozostaje do dziś całkowicie nieznany. W czasie II wojny światowej na tych samych cmentarzach chowano żołnierzy niemieckich i Armii Czerwonej. W okresie PRL groby te były

---

[7] *Ibidem.*

[8] Por. W. Szymański, *„O jedno tylko proszę...",* s. 435.

pozbawione jakiejkolwiek opieki państwa. Dostępne są dziś jedynie niepełne listy żołnierzy poległych w I wojnie światowej i nie dają one odpowiedzi na pytanie, ilu z nich faktycznie spoczywa na cmentarzach w Polsce. Brakuje także informacji o pochowanych wówczas żołnierzach narodowości polskiej.

Troska o groby żołnierzy w II RP

Odzyskanie niepodległości przez Polskę nie byłoby możliwe bez udziału żołnierzy polskich w walkach o granice kraju, stąd troskę o groby wojenne uznano za element budowania świadomości narodowej. Na trzecim posiedzeniu Sejmu Ustawodawczego, 20 lutego 1919 r., posłowie uczcili pamięć poległych w obronie ojczyzny powstaniem z miejsc, a marszałek sejmu podkreślił: „Nie mniejsza cześć należy się mogiłom tych bohaterów, którzy za wolność i niepodległość Polski swe młode życie stracili. Szczęśliwsi oni, bo Opatrzność pozwoliła im za Polskę, a nie za cudzą sprawę życie położyć"[9].

W okresie międzywojennym żołnierze walczący o granice odrodzonego państwa cieszyli się ogromnym szacunkiem i czcią, zarówno ze strony władz państwowych, jak i obywateli. Dobrze oddaje to rozkaz gen. Stanisława Szeptyckiego, dowódcy frontu litewsko-białoruskiego, wydany po zajęciu Wilna 23 kwietnia 1919 r.: „[...] Moi żołnierze! Moi drodzy chłopcy! Wilno nasze, Lida nasza, Baranowicze nasze, Nowogródek nasz. Lepszego daru nie mogliście złożyć w dniu Zmartwychwstania Pańskiego. Waszym mozołem, waszą krwią, waszym bezgranicznym poświęceniem i nadludzką wytrwałością odwalacie kamień z grobu zmartwychwstałej Ojczyzny.

» W okresie międzywojennym żołnierze walczący o granice odrodzonego państwa cieszyli się ogromnym szacunkiem i czcią, zarówno ze strony władz państwowych, jak i obywateli. »

W całej Rzeczypospolitej Polskiej, jak długa jest i szeroka, zapanuje jutro wielkie wesele. Uderzą miliony serc wdzięcznych dla was. Łzami wzruszenia i okrzykiem podziwu powita naród czyn wasz. Wy zaś posłuszni i karni, srodze

[9] Sprawozdanie stenograficzne z trzeciego posiedzenia Sejmu Ustawodawczego z 20 II 1919 r., http://dlibra.umcs.lublin.pl/dlibra/publication?id=7520&tab=3 [dostęp: 1 VIII 2018 r.].

Płaskie (uroczysko nad jeziorem) – mogiła powstańca Ignacego Bulińskiego z 1863 r.
Napis na tablicy: „Bohaterom 1863. Żolnierze wolnej niepodleglej Polski 23.I.1923". Fot. polona.pl

utrudzeni, stać będziecie na swoich placówkach, śledząc pilnie zaczajonego wroga i gotowi zawsze na śmierć. Z dala od rodzin, z dala od ciepła i wesela.

Ale chłopcy: »nic to«. Służba nieskończona. Ojczyzna w niebezpieczeństwie. Świadomość spełnionego obowiązku wystarczy nam za wszystko. Wesołego Alleluja, chłopcy! Poległym cześć! Dziękuję wam i podziwiam was, bohaterzy moi!

Przeczytać przed frontem.

(–) Szeptycki, generał i dowódca frontu litewsko-białoruskiego"[10].

Po odzyskaniu niepodległości władze polskie rozpoczęły odbudowę państwa. Była to gigantyczna praca, wymagająca dużego nakładu sił i środków finansowych, których w związku z tym brakowało na upamiętnianie czynów zbrojnych i troskę

[10] „Monitor Polski", Warszawa, 24 IV 1919 r., nr 92, s. 3.

Niemiecki nieśmiertelnik, wz. 1869. Fot. Aleksander Rostocki

o groby. Początkowo cmentarze wojenne oddano pod opiekę władz wojskowych, a następnie znalazły się one w kompetencji samorządów. W trosce o miejsca pamięci narodowej ogromne znaczenie miał również spontaniczny wkład polskiego społeczeństwa, które rozumiało, jak ważną kwestią dla budowania nowej państwowości w II RP jest kształtowanie postaw patriotycznych. Poszukiwano bohaterów, którzy mogli być wzorem do naśladowania dla młodego pokolenia i uczyć je odpowiedzialności wobec ojczyzny. Stąd na przykład opiekę nad grobami weteranów Powstania Styczniowego powierzono młodzieży szkolonej, licząc, że utożsami się ona z ich ideałami[11]. W 1927 r. we wszystkich starostwach zorganizowano akcję poszukiwania grobów i pomników żołnierzy-powstańców z okresu zaborów, przeglądając archiwa i zbierając dokumentację. Informacje uzyskiwano też dzięki pamięci zachowanej w lokalnych społecznościach. To wszystko posłużyło Ministerstwu Robót Publicznych do przygotowania publikacji *Pomniki bojowników o niepodległość 1794–1863*[12].

Opieką otaczano również mogiły polskich żołnierzy poległych w latach 1914–1921. Jak pisała prasa międzywojenna: „Świadectwem czynu, zadokumentowanego przez śmierć, są groby żołnierskie. Spod przysypanej śniegiem darni płyną ku nam najszczytniejsze nakazy miłości, poświęcenia, wytrwania w obowiązku. Na grobach tych klęka przywiązanie matki do syna, załamuje ręce żałość ojca, ale nie płacze na nich Ojczyzna. Ona jest dumna z tych mogił i ona otacza je czcią i chwałą ku pouczeniu przyszłych pokoleń o przeszłości. Naród, który jest opiekunem tych grobów, bierze z nich świadomość ciągłości swego istnienia. Ponad grobami podają sobie ręce coraz to nowe pokolenia i od zarania dziejów idą nieskończo-

[11] Por. J. Załęczny, *Tradycje patriotyczne elementem kształtowania zbiorowej świadomości historycznej w II Rzeczypospolitej*, Warszawa 2017, s. 13.

[12] *Pomniki bojowników o niepodległość 1794–1863*, oprac. H. Mościcki, Warszawa 1929.

nym korowodem w jutro, nieznane teraźniejszości. A pochód ten znaczony jest wysiłkiem, ofiarą, bojem, klęską lub zwycięstwem. Gdy padają jedni, stają na ich miejsce inni. Życie trwa i zwycięża. Zwycięskie – oddaje hołd tym, co drogę do tego zwycięstwa utorowali – duchom umarłych wielkich przewodników narodu i duchom poległych bohaterów. I nigdy nie przestaną być umarli uczestnikami życia. Zza grobu wywierają swój wpływ, zza grobu sprawiają »rząd dusz«. Są z nami i w nas. Przeto błogosławmy ich za nasz udział w szczęściu i chwale Ojczyzny"[13].

Staraniem władz państwowych oraz dzięki działaniom społecznym budowano nowe i odnawiano już istniejące nagrobki oraz cmentarze. Przykładem takiej inicjatywy może być przeniesienie w 1930 r. szczątków obrońców Reduty na Woli na Cmentarz Wojskowy na Powązkach. Na pomniku umieszczono inskrypcję: „Tu spoczywają prochy żołnierzy polskich poległych w walkach z rosyjskim najeźdźcą w dniach 6 i 7 września 1831 r. Cześć ich pamięci!"[14]. Na tym samym cmentarzu, prywatnym sumptem nadzwyczaj poczytnego w okresie międzywojennym pisarza Ferdynanda Ossendowskiego, stanął w 1928 r. pomnik Orląt Lwowskich – monument ten niestety nie przetrwał II wojny światowej. Inicjatywy społeczne były tym cenniejsze, że środki państwowe przekazywane na opiekę nad grobami były niewielkie (roczny koszt utrzymania pojedynczej mogiły w Polsce wynosił 58 gr[15]), a groby bohaterów walk z okresu zaborów i wojny 1920 r. wymagały pilnej restauracji. Stąd też powstawały liczne organizacje społeczne o za sięgu zarówno ogólnopolskim (np. Towarzystwo Polskiego Żałobnego Krzyża, Polskie Towarzystwo Opieki nad Grobami Bohaterów), jak i lokalnym – obejmujące opieką konkretny cmentarz (np. Straż Mogił Polskich Bohaterów we Lwowie). Organizowały one zbiórki funduszy na najpilniejsze remonty, prace ekshumacyjne i pochówki żołnierskie.

Na początku lat trzydziestych XX w. rząd polski przystąpił do prac nad ustawą o grobach i cmentarzach wojennych. Regulacje te były niezbędne dla zapewnienia właściwej, systemowej opieki państwa nad cmentarzami wojennymi. Traktaty wersalski i ryski nakładały na państwa obowiązek właściwego utrzymania cmentarzy

[13] „Tygodnik Ilustrowany" 1920, nr 37, s. 707.

[14] J. Załęczny, *Tradycje patriotyczne...*, s. 125.

[15] Rządowy projekt Ustaw o grobach i cmentarzach wojennych, uchwała Rady Ministrów z dnia 2 I 1933 r., pismo Ministra Spraw Wewnętrznych z dnia 18 I 1933 r. N.S.B. 23/3/33, Sejm RP, okres III, druk nr 667.

> Dla społeczności uczniowskiej w Polsce troska o groby żołnierzy byłaby wspaniałą lekcją historii i patriotyzmu, pozwalając jednocześnie ocalić je przed ruiną i zapomnieniem.

wojennych, bez względu na narodowość poległych żołnierzy. Rozwiązać należało także problem uregulowania własności gruntów prywatnych, zajętych podczas I wojny światowej na cmentarze wojenne, bez wypłacenia właścicielom jakiegokolwiek odszkodowania (był to obszar ok. 300 hektarów). W założeniach do rządowego projektu ustawy podano, że w Polsce spoczywa ok. 1,3 mln żołnierzy poległych w I wojnie światowej, wojnie polsko-bolszewickiej oraz w toczących się do 1921 r. walkach o granice. Na ponad 10 tys. cmentarzy znajdowało się z górą pół miliona pojedynczych i zbiorowych mogił. U progu lat trzydziestych oceniano, że kapitalnego remontu wymaga ponad 3,6 tys. nekropolii[16]. Ustawa została uchwalona 28 marca 1933 r. i obowiązuje do dziś. Opiekę państwa nad grobami wojennymi przerwał wybuch II wojny światowej.

PRL i współczesność

PRL to czas całkowitego braku opieki państwa nad grobami z I wojny światowej i wojny 1920 r. Urzędnicy zajmowali się natomiast grobami z II wojny światowej, zwłaszcza żołnierzy LWP i Armii Czerwonej. Dopiero po 1987 r., staraniem Austriackiego Czarnego Krzyża, rozpoczęto prace remontowe na cmentarzach z I wojny światowej. Od 1989 r. nieustannie próbuje się nadrobić półwiekowe zaległości w tej kwestii, ale mimo ogromnych nakładów wiele miejsc spoczynku żołnierzy pozostaje w bardzo złym stanie, a liczne w ogóle nie przetrwały do naszych czasów.

W innych krajach europejskich grobami żołnierzy opiekują się fundacje i stowarzyszenia, pozyskujące na ten cel środki społeczne. Na przykład u naszych zachodnich sąsiadów działa Niemiecki Związek Ludowy Opieki nad Grobami Wojennymi. Ponad 70 proc. wpływów tej organizacji pochodzi ze składek społecznych, darów, spadków, zapisów testamentowych i kwest ulicznych. Środki te pozwalają na utrzymanie istniejących niemieckich grobów wojennych, odnajdowanie zapomnianych mogił oraz prace ekshumacyjne i przenoszenie odnalezionych

[16] *Ibidem.*

szczątków na cmentarze wojenne. Dotyczy to również grobów znajdujących się poza granicami Niemiec i dlatego dziś wygląd niemieckich cmentarzy z czasów II wojny światowej w Polsce można uznać za wzorcowy.

Wydaje się, że żadne państwo nie udźwignie samo troski o grobownictwo wojenne i jest konieczne, tak jak to było w czasach I wojny światowej i w II RP, włączenie całego społeczeństwa w opiekę nad mogiłami żołnierskimi. Dotyczy to zwłaszcza zrujnowanych cmentarzy z okresu I wojny światowej, które niejednokrotnie znajdują się w tak złym stanie, że na grobach nie zachowały się nawet tabliczki z nazwiskami, w związku z czym niemożliwa jest identyfikacja pochowanych tam żołnierzy. W dodatku metalowe elementy mogił padały często łupem zbieraczy złomu, a kamienne bloki trafiały na budowy okolicznych domów. W jeszcze gorszym stanie są niszczejące w zapomnieniu pojedyncze mogiły ukryte w lasach. Zdarza się również, że z powodu nieuiszczenia opłaty za użytkowanie grobu – co w przypadku żołnierzy pozbawionych rodzin jest wcale nierzadkie – zarządy cmentarzy parafialnych likwidują mogiły bohaterów z okresu II wojny światowej. Tego typu groby z pewnością nie przetrwają bez starań ze strony państwa i organizacji społecznych.

Warto również wrócić do idei roztoczenia opieki nad grobami bohaterów przez młodzież szkolną, co było tradycją zarówno II RP, jak i PRL. Wydaje się, że dziś zwyczaj ten zanikł, choć w wielu miejscach pamięci widnieją jeszcze dawno nieaktualne tabliczki z czasów komunistycznych, informujące o objęciu danego miejsca opieką przez uczniów jakiejś placówki. A przecież dla ponadczteromilionowej społeczności uczniowskiej w Polsce bieżąca troska o groby żołnierzy byłaby wspaniałą lekcją historii i patriotyzmu, pozwalając jednocześnie ocalić je przed ruiną i zapomnieniem. ▪

Ewa Żaboklicka (ur. 1967) – prawnik, pracownik Oddziałowego Biura Upamiętniania Walk i Męczeństwa IPN w Warszawie. Prowadzi badania nad zawłaszczaniem przez władze komunistyczne warszawskich nieruchomości w latach 1944–1954.

BIULETYN IPN
PISMO O NAJNOWSZEJ HISTORII POLSKI
NR 9 (154), wrzesień 2018

Sypanie kopca Piłsudskiego, maj 1935 r.
Fot. AIPN

Iwona Fischer

Kopiec Józefa Piłsudskiego w Krakowie

Budowa kopca Piłsudskiego to wyraz szacunku dla człowieka, który przywrócił Polsce niepodległość. Ten największy z polskich kopców ma długą, niezwykle ciekawą historię, zdeterminowaną przez trudne i zmienne koleje XX w.

W Polsce mamy dziś około trzystu kopców. Tradycja ich sypania sięga dawnych wieków. Ideę przypomniano w 1932 r. broszurą *Bojownikom o wolność – Naród*, w której wystąpiono z pomysłem sypania „kopców Odrodzonej Polski" – pomników budowanych w czynie społecznym i za społeczne pieniądze. Propozycję tę podjął Związek Legionistów Polskich, inicjując budowę kopca Piłsudskiego w Krakowie.

Dumny symbol wielkości

W marcu 1934 r. – a więc jeszcze za życia Marszałka – ówczesny dyrektor lasu Wolskiego, inż. Witold Friedberg, rozpoczął pierwsze rozmowy i uzgodnienia. Poproszony o wykonanie planów kopca prof. Adolf Szyszko-Bohusz zwiedził proponowane miejsca pod kopiec – polanę Wobra i Sowiniec – i „wybrał to ostatnie wzgórze jako jedynie odpowiednie"[1].

Wkrótce, informując o odsłonięciu tablicy pamiątkowej ku czci Piłsudskiego na Maderze, prasa donosiła niejako przy okazji: „Jak się dowiedzieliśmy z wiarygodnego źródła, powstał w związku z uroczystościami sierpniowymi 20-lecia wymarszu Kadrówki projekt usypania kopca imienia Marszałka Piłsudskiego. [...] Pomysł budowy kopca zasługuje na jak najgorętsze uznanie i niewątpliwie wzbudzi olbrzymie zainteresowanie wśród społeczeństwa nie tylko krakowskiego, ale całej Polski. [...] Jednym słowem, Kraków gorąco i czynnie przygotowuje się do uczczenia historycznej rocznicy sierpniowej"[2]. Pojawiły się także inne pomysły uczczenia Piłsudskiego – usypanie i wykopanie na krakowskich Błoniach skrawka okopów legionowych spod Łowczówka, ewentualnie urządzenie panoramy jednej ze sławnych bitew legionowych. Te koncepcje jednak upadły.

W kwietniu 1934 r. był gotowy pierwszy plan kopca – w kształcie piramidy – opracowany przez Szyszko-Bohusza, ostatecznie niezrealizowany. Na posiedzeniu Komitetu Obywatelskiego Uroczystości XIII Zjazdu Legionistów Polskich, które odbyło się 25 czerwca, powzięto decyzję, że symboliczne sypanie kopca im. Marszałka Józefa Piłsudskiego rozpocznie się 5 sierpnia 1934 r., a „dla sprawy budowy kopca powołano osobny komitet główny z b. premierem [Aleksandrem] Prystorem i prez. [Walerym] Sławkiem na czele. Przez cały sierpień – zapowiadała prasa – będą organizowane pielgrzymki na sypanie kopca. Corocznie w dniu 11 listopada sypana będzie na specjalnej uroczystości ziemia z pobojowisk całego kraju"[3].

---

[1] Archiwum Narodowe w Krakowie, Akta Zarządu Miejskiego w stoł. Król. Mieście Krakowie, Zarząd Parku „Las Wolski", Rozbudowa Urządzenia Kopiec Marszałka Piłsudskiego na Sowińcu, sygn. ZOO 54, k. 3.

[2] *Kopiec Marszałka Piłsudskiego w Krakowie*, „Ilustrowany Kuryer Codzienny" (dalej: IKC), 6 IV 1934 r., s. 5.

[3] *Kopiec Marsz. Piłsudskiego w Krakowie stanie na Sowińcu*, IKC, 30 VI 1934 r., s. 1.

Kolejną ważną datą w historii kopca jest 5 lipca 1934 r., kiedy to Rada Miasta Krakowa przyjęła uchwałę o przeznaczeniu na ten cel gruntu gminnego na wzgórzu Sowiniec.

7 lipca las Wolski wizytował architekt Franciszek Mączyński, któremu ostatecznie powierzono opracowanie projektu. Trzy dni później rozpoczęto pierwsze pomiary. Niebawem ustalono także ogólny program uroczystości poświęcenia miejsca, na którym stanie kopiec, zaplanowano Mszę św. polową, przemówienia, defiladę legionistów i wypuszczenie gołębi pocztowych.

Nim jeszcze przystąpiono do karczowania drzew porastających Sowiniec, samoistnie ruszyła akcja przywożenia ziem z miejsc pamięci i różnych zakątków Polski. Mimo prośby ze strony organizatorów, aby się od tego powstrzymać, zaczęły one napływać do Krakowa najpierw bezimiennie, a później anonsowane. Pierwsza znana akcja przewiezienia ziemi na kopiec to sztafeta wodna Związku Strzeleckiego „Ruda" z Torunia. Rosnąca lawinowo liczba przekazywanych urn z ziemią zaczęła nastręczać trudności organizatorom uroczystości i prac przy kopcu. Postanowiono przechowywać nadesłane ziemie w Domu Marszałka Piłsudskiego w Oleandrach, czekającym jeszcze wówczas na oficjalne otwarcie.

W dwudziestą rocznicę wymarszu I Kompanii Kadrowej, 6 sierpnia, odbyła się w lesie Wolskim uroczystość założenia fundamentu pod kopiec. Na środku placu wbito wysoki na 28 m maszt sztandarowy, wokół którego ustawiły się delegacje Strzelca, Związku Legionistów, Związku Rezerwistów, Straży Pożarnej, Związku Inwalidów, Weteranów, kolejowego i pocztowego Przysposobienia Wojskowego. Gośćmi honorowymi byli żołnierze I Kompanii Kadrowej w historycznych mundurach. Przybyłych powitała kompania honorowa 20. pułku piechoty wraz z orkiestrą.

Walery Sławek powiedział m.in.: „[...] my, jego żołnierze – a wierzymy, że z nami i naród cały – przystępujemy dziś do sypania z ziemi polskiej kopca, który by imię Józefa Piłsudskiego przekazał wiekom w czasy tak odległe, kiedy księgi historii pisanej już zbutwieją, a ryte w kamieniu słowa wiatr i deszcz wykruszy. [...] Chcemy, by symbol wielkości na górze z dala widziany w duszach przyszłych pokoleń budził dumę. By naród dumny przeszłością wiedział, że wysiłkiem i ofiarą wielkość swojej przyszłości ma wznosić. By rozumiał, że czoło, które się przed wrogiem nie ugnie, że wola, która przed trudami i niebezpieczeństwem nie zmięk-

Projekt kopca. Fot. AAN

nie, że to były, to są i będą zawsze siły główne. Niech to wskazanie przez Józefa Piłsudskiego Polsce dane na wieki z kopca tego promienieje"[4].

Po poświęceniu miejsca rozpoczęto przygotowania do zasadniczej części robót, czyli do wyrębu drzew i sypania stożka. Zakładano, że będzie on miał 107,20 m średnicy podstawy (tyle co długość krakowskich Sukiennic), 10 m średnicy górnej i 36 m wysokości. Na szczyt miały prowadzić ścieżki o szerokości 1,80 m i łącznej długości 700 m, zabezpieczone żelaznymi poręczami. Od strony miasta na kopiec miały zaś wieść zwiedzających szerokie, sześćdzie sięciometrowe schody.

„Taczkami, jak to miało miejsce przy sypaniu kopca Kościuszki, ziemi wozić się nie będzie, aby ludzi nie narażać na niepotrzebne trudy" – prognozowali dziennikarze[5]. Tymczasem na niemalże wszystkich zdjęciach z budowy kopca widać właśnie taczki.

W publikacjach powojennych często pojawia się błędna informacja, jakoby początkowo sypano w Krakowie kopiec niepodległości, a dopiero w 1935 r., po śmierci Marszałka, przemianowano go na kopiec Józefa Piłsudskiego. Nie znaj-

---

[4] Zob. „Gazeta Polska", 8 VIII 1934 r., s. 1; IKC, 8 VIII 1934 r., s. 4–5.

[5] *Kopiec Marszałka. Nowe rewelacyjne szczegóły o kopcu na Sowińcu*, „Światowid" 1934, nr 36, s. 14.

duje to potwierdzenia w prasie II RP ani archiwaliach z tego okresu. Od samego początku kopiec nosił imię Piłsudskiego.

Krakowski „Ilustrowany Kuryer Codzienny" (IKC) doniósł 30 marca 1935 r. o powstaniu w Warszawie Komitetu Budowy Kopca Józefa Piłsudskiego. Miał on koordynować i kierować całą akcją, kontrolować dochody i wydatki oraz przede wszystkim pełnić funkcję informacyjną. Prezesem komitetu został Sławek, zastępowali go Prystor, gen. Edward Śmigły-Rydz i gen. Kazimierz Sosnkowski. W gremium zasiedli także Janusz Jędrzejewicz, gen. Gustaw Orlicz-Dreszer i Kazimierz Świtalski. Komitet założył specjalne konto, na które można było przesyłać składki. Jego numer przypominały co kilka dni gazety.

W patriotycznym zapale

Śmierć Piłsudskiego 12 maja 1935 r. spotęgowała zaangażowanie budowniczych kopca. Choć na plan pierwszy wysunęła się organizacja uroczystości pogrzebowych, nie zapomniano o pomniku powstającym ku czci Wskrzesiciela Niepodległości. IKC donosił: „Jak wiadomo, w kondukcie pogrzebowym Marszałka Piłsudskiego nie będzie żadnych wieńców. Pieniądze mające iść na kwiaty i wieńce zostały przeznaczone na budowę Kopca Marszałka Piłsudskiego. Sumy te rosną wprost z godziny na godzinę, a niewątpliwie dadzą poważną kwotę, która pozwoli na szybkie wzniesienie Kopca – pomnika, tak że przewidziany czas budowy – cztery lata – może łatwo ulec skróceniu"[6].

Dziennik uderzał w patetyczne tony: „Oczy całego Narodu polskiego zwrócone są teraz na Kraków, na prastarą jagiellońską stolicę, miasto pamiątek i świętości narodowych. Do krypty wawelskiej, do panteonu relikwii, wzruszających serce każdego Polaka – przybyły prochy Wskrzesiciela Państwa Józefa Piłsudskiego – na wieczny sen. A równocześnie na podmiejskim wzgórzu, na Sowińcu – odwiecznym przodków zwyczajem, sypie cała ludność Polski wzniosły kopiec na pamiątkę Wodza. [...] W najbliższych już tygodniach zjeżdżać będą do Krakowa tłumy rodaków. Powtórzą się chwile, kiedy to cały naród sypał kopiec na pamiątkę Tadeusza Kościuszki. Dziś jednak akcja ta przybierze niewątpliwie znacznie potężniejsze rozmiary niż wówczas i w znacznie szybszym przebiegać będzie tempie.

---

[6] *Na kopiec Marszałka Piłsudskiego*, IKC, 18 V 1935 r., s. 9.

Kpt. Stanisław Koźmiński, kierujący budową kopca, wrzesień 1935 r. Fot. NAC

Albowiem wiek dzisiejszy jest stuleciem mas i taki właśnie masowy charakter mieć będą pielgrzymki do Krakowa w ciągu najbliższego czasu"[7].

I rzeczywiście, kopiec sypali: rząd, posłowie i senatorowie, przedstawiciele rozmaitych organizacji, wojsko, zagraniczni dyplomaci, artyści, sportowcy, weterani, załogi zakładów pracy, całe rodziny z dziećmi. Szczególnie chwytają za serce fotografie najmłodszych „budowniczych" – taszczących nieporadnie ziemię w wiklinowych koszach. To wyraz podniosłości chwili i odpowiedzialnego patriotycznego wychowania przyszłych pokoleń Polaków. Nie można także nie wspomnieć o szczególnej kategorii odwiedzających Sowiniec – o „wyczynowcach". Była to dość liczna grupa osób, które pobierały ziemię ze swojej okolicy i pieszo pokonywały drogę do Krakowa, np. aż z Kresów Wschodnich. Nie o wyczyn tu jednak chodziło, lecz o ogromne zaangażowanie i poświęcenie w uznaniu zasług Piłsudskiego.

---

[7] *Na Kraków zwrócone są oczy całego Narodu*, IKC, 24 V 1935 r., dodatek „Kuryer turystyczno-zdrojowy i komunikacyjny", s. 20.

Delegacja Hucułów sypie przywiezioną ziemię. Fot. NAC

Aby ułatwić masowy dostęp do Sowińca, władze postarały się o uproszczenie podróży do Krakowa i znacznie obniżenie jej koszów. Liga Popierania Turystyki opracowała plan akcji popularnych przejazdów kolejowych do Krakowa. Aż z 62 miejscowości w Polsce miały wyruszać specjalne pociągi: jeden w tygodniu, a w święta nawet po kilka, niektóre z darmowymi biletami.

Pod koniec maja prasa doniosła o otwarciu urzędu pocztowego na Sowińcu. Można było teraz zakupić kartę pocztową przedstawiającą jeden z etapów budowy kopca i wysłać ją znajomym lub bliskim. Poczta przybijała specjalny okolicznościowy datownik. Pierwszą kartę wysłał z agencji pod kopcem dyrektor krakowskiego Okręgu Poczt i Telegrafu, płk Alfred Spett, adresatem była zaś redakcja „Ilustrowanego Kuryera Codziennego". W późniejszym okresie wydano także serię kolorowych kart przedstawiających urny z ziemią na kopiec Marszałka. Karty te są dzisiaj wspaniałym źródłem wiedzy o kopcu. Zaraz po śmierci Marszałka na karty naklejano znaczki pocztowe z nadrukiem „Kopiec Marszałka Piłsudskiego", potem wydano specjalny znaczek pocztowy, który można było nabyć wyłącznie w tym miejscu.

Inną i jakże wspaniałą pamiątką sypania kopca były fotografie. Do dziś zachowały się ich tysiące. Działały tu koncesjonowane zakłady fotograficzne, wykonując profesjonalne ujęcia z zainteresowanymi, taczkami i sylwetą kopca w tle. W biurze

Prezydent Ignacy Mościcki przy sypaniu kopca. Fot. NAC

komitetu budowy wyłożono ponadto k sięgę pamiątkową. Musiało ich być kilkanaście, przetrwały niestety tylko dwie. Oprócz wpisów polskich można w nich znaleźć także m.in. rosyjskie, węgierskie, francuskie, niemieckie i angielskie.

Gdy wizyty przybrały rozmiary narodowej pielgrzymki, komitet budowy ogłosił szczegółowe zasady organizacji przyjazdów do Krakowa, by odpowiednio rozłożyć je w czasie. Przy okazji zdradzono, że budowniczy kopca dysponują 20 taczkami, 40 koszami i 400 łopatami. Jak to ładnie ujęto: „W najbliższym czasie »tabor« taczkowy ma być – wobec napływu chętnych – wybitnie powiększony"[8]. I rzeczywiście, został wielokrotnie wzbogacony, co więcej – także zróżnicowany na taczki męskie, damskie i dziecięce.

Wzmogła się też akcja przesyłania do Krakowa ziem przeznaczonych na kopiec. Były to zarówno indywidualne akcje prywatnych osób, jak i przed sięwzięcia na dużą skalę. Taką inicjatywą była chociażby deklaracja przesłania na kopiec ziem z grobów polskich żołnierzy w USA. Komitet uroczystości pogrzebowych Marszałka

[8] *Kiedy można sypać Kopiec Marszałka Piłsudskiego*, IKC, 25 V 1935 r., s. 8.

Pamiątka sypania kopca. Fot. ze zbiorów autorki

postanowił przywieźć trzy urny: ziemię z grobów zmarłych weteranów Powstania Styczniowego, poległych na Polesiu Konstantynowskim w okresie walk o niepodległość Polski w latach 1905–1918 oraz poległych w walkach o jej utrzymanie w latach 1918–1920.

Oczywiście nie mogło zabraknąć grudek ziemi najbliższych sercu Marszałka, toteż, jak donoszono: „Delegacja ludności Wileńszczyzny, która wyjeżdża na pogrzeb do Warszawy i Krakowa, zabiera ze sobą urnę z ziemią z grobu śp. Matki Marszałka. Grób ten, jak wiadomo, znajduje się w Kowieńszczyźnie, [w] miejscowości Surginty, w pow. wiłkomirskim. Ponadto delegacja zabierze ziemię z miejsca urodzin Marszałka, Zułowa, oraz ziemię z mogiły niedawno zmarłej ukochanej siostry Marszałka, śp. Zofji Kadenacowej, której zwłoki złożono na cmentarzu pobernardyńskim w Wilnie”[9]. Oprócz tych pamiątek, rzec można rodzinnych, częstochowscy harcerze przywieźli ziemię z Jasnej Góry, bliską sercu niemal każdego Polaka. Z końcem 1935 r. „Ilustrowany Kuryer Codzienny” doliczył się ok. 2 tys. urn z ziemią; szacowano, że przybędzie jeszcze tysiąc. Ze względu na wartość artystyczną urn w budynku odwachu przy wieży Ratuszowej w Krakowie 19 marca 1936 r. urządzono ich wystawę. Docelowo miały być eksponowane w pawilonie, który miał stanowić część otoczenia kopca.

[9] *Ziemia z grobu matki Marszałka*, IKC, 17 V 1935 r., s. 15.

Największe zainteresowanie publiczności budziły oryginalne urny: srebrny globus na podstawie z czarnego dębu, model żaglowca wykonany przez członków Bratniej Pomocy Zrzeszenia Studentów Polaków Politechniki Gdańskiej czy kaseta mosiężna z lampką górniczą z Holandii. A także urna z ziemią z Cecory – w kształcie pomnika husarza z brązu – oraz wykonane przez wojsko: urna z czerepów granatu z pobojowiska, na którym walczył 50. pp, bomba lotnicza na podstawie z piasty śmigłowca, sześcioboczna urna z wyrytymi emblematami artyleryjskimi i nazwami pobojowisk, z których przekazano ziemię.

W końcu stycznia 1935 r. rozpisano konkurs dla architektów, urbanistów i artystów polskich na wykonanie projektu otoczenia kopca. Prasa informowała: „[...] na dotychczasowe prace koło kopca wydano okrągło 100.000 zł, nie naruszywszy jeszcze funduszu budowy. Komitet kopca wydał i sprzedaje na miejscu widokówki i różne pamiątki, wydzierżawił bufet i prawo fotografowania prac na Sowińcu, tak że dochodami tymi pokrył niemal wszystkie dotychczasowe wydatki. Ale naturalnie do funduszu (600.000 zł) musi się sięgnąć. Bo po wykończeniu kopca trzeba będzie urządzić dojazd, uregulować otoczenie, wyprowadzić schody na kopiec itp."[10]

Budowę trwała do 9 lipca 1937 r. Formalnie zakończenie prac ogłoszono w rocznicę wymarszu I Kompanii Kadrowej – 6 sierpnia 1937 r. Był to też kolejny już termin na ostateczne składa ziem. Oczywiście nikt się nim nie przejął i ziemie napływały także później. Kopiec zwieńczono płytą z krzyżem legionowym i wysokim masztem z biało-czerwoną flagą. Zapowiedziano, że w godzinach wieczornych i nocnych kopiec będzie oświetlony, tak by był widoczny w panoramie miasta.

Konkurs na otoczenie kopca wygrali inż. arch. Romuald Gutt oraz inż. ogrodnik Alina Scholtzówna z Warszawy. Projekty nagrodzonych prac opublikowano w specjalistycznym czasopiśmie „Architektura i Budownictwo". Niestety, z rozległych planów i różnych ciekawych propozycji niewiele zrealizowano. A szkoda, bo wtedy ten szczególny pomnik miałby imponującą i wysokiej rangi oprawę. Winą za niezrealizowanie projektu należy obarczyć zbliżającą się wielkimi krokami II wojnę światową. Priorytetem stała się bowiem obrona Ojczyzny.

[10] *Budowa Kopca Marsz. Piłsudskiego na Sowińcu. Kopiec na Sowińcu rośnie*, IKC, 19 XII 1935, s. 7.

Za Niemca i w PRL

W czasie II wojny światowej niemiecki gubernator Hans Frank, rezydujący na Wawelu, zamierzał zniszczyć oba kopce górujące nad Krakowem – Józefa Piłsudskiego i Tadeusza Kościuszki – wydając 16 kwietnia 1941 r. staroście krakowskiemu, Rudolfowi Pavlu, rozkaz ich niwelacji. Frank nie mógł ścierpieć, że – choć z daleka – były widoczne w mieście pomniki kultury i władzy polskiej. Ponoć przygotowywano nawet plan zniszczenia kopca przez wysadzenie go w powietrze. Na szczęście Niemcy nie zdążyli tego zrobić. Co więcej, zachowały się rachunki świadczące, że w czasie wojny, za plecami okupanta, naprawiano niektóre ścieżki na stokach kopca.

W trakcie okupacji kopiec stał się miejscem manifestacji oporu społecznego. Przykładem takich konspiracyjnych akcji było rocznicowe składanie pod kopcem bukietów kwiatów ozdobionych wstęgami w barwach narodowych i napisami: „Bohaterom walki o wolność – Naród", „AK czuwa i walczy". W Święto Niepodległości, 11 listopada 1941 r., Edward Wyroba ze Związku Walki Zbrojnej wywiesił na kopcu biało-czerwoną (faktycznie, z uwagi na okoliczności i pośpiech, zawieszoną odwrotnie) flagę, która przetrwała tam aż do południa dnia następnego, kiedy to Niemcy ostatecznie ścięli maszt.

Legioniści pod kopcem w latach siedemdziesiątych.
Fot. ze zbiorów Komitetu Opieki nad Kopcem Józefa Piłsudskiego

Chociaż w 1945 r. złożono tam jeszcze ziemię spod Lenino i Monte Cassino, pod rządami komunistów dokonała się dewastacja kopca. Pierwszą wygraną bitwą nowych władz z pamięcią społeczną było usunięcie kopca z map i przewodników. Na planach miasta w miejscu Sowińca pojawiły się anemiczne i niewiele mówiące zapisy: „kopiec", „kopiec na Sowińcu" lub „punkt widokowy na Sowińcu". Krakowianie zareagowali na to swoją nazwą: kopiec Nieznanego Marszałka.

Kopiec obsadzono drzewami i krzewami. W 1953 r. czołgiem zdarto ze szczytu granitową płytę z legionowym krzyżem. Osuwanie się mas ziemi po tak okaleczonej bryle doprowadziło do deformacji stożka i jego znacznego obniżenia. W końcu lat siedemdziesiątych sylwetka kopca była prawie niewidoczna w krakowskim pejzażu. Równie okrutny los spotkał pamiątkowe urny – zostały one przewiezione do składnicy złomu i w zdecydowanej większości definitywnie zniszczone. Do naszych czasów zachowało się ich około czterdziestu. Kazimierz Rydel, inspektor Centrali Złomu w Krakowie, uratował je i na polecenie Eugeniusza Tora, wiceprezydenta miasta w latach 1945–1947, przekazał do Muzeum Historycznego miasta Krakowa.

O kopiec, niszczejący w szybkim tempie, upomniał się płk Józef Herzog – legionista, stalinowski więzień polityczny, obiekt zainteresowania Służby Bezpieczeństwa. Herzog działał w konspiracyjnym krakowskim oddziale Związku Legionistów Polskich i cieszył się poważaniem lokalnych środowisk niepodległościowych. Od 1957 r. starał się ratować kopiec.

Z niezwykłą odwagą i determinacją pisał listy, petycje, skargi i memoriały do wszystkich instytucji zajmujących się ochroną zabytków i kultury narodowej. Adresatami były m.in. Ministerstwo Obrony Narodowej, Ministerstwo ds. Kombatantów oraz Rada Państwa. Pisma Herzoga nie pozostawiały złudzeń co do intencji autora i jego oceny władzy. Grzmiał on: „Kopiec na Sowińcu w Krakowie, który został po prostu zgnojony i zbezczeszczony, to nie sprawa samego miasta Krakowa, jak zdecydował przed laty ówczesny Ob. Minister Obrony Narodowej, a sprawa ogólnonarodowa – proszę przeto o godną pamięć o poległych i zmarłych". Argumentował: „Kultura kopca w porównaniu z kulturą obok Barbakanu w Krakowie wygląda na podłe tchórzostwo z naszej strony, jakbyśmy się wstydzili przeszłości. Inne narody się nie wstydzą"[11]. Nawet w naszych czasach byłyby to niezwykle odważne i mocne słowa. Władza pozostawiała pisma bez odpowiedzi albo wskazywała innych odpowiedzialnych, przerzucając bezproduktywnie korespondencję między biurkami urzędników.

Na początku lat siedemdziesiątych Herzog zwrócił się o wsparcie do metropolity krakowskiego kard. Karola Wojtyły. W odpowiedzi późniejszy papież napisał m.in.: „Pragnę wyrazić moją solidarność z Pańskimi poczynaniami, które mają na celu obronę godności narodu, a zwłaszcza honoru polskiego żołnierza – tego, któremu Polska zawdzięcza Niepodległość. Wołanie o szacunek dla pamiątek przeszłości, m. in. dla Kopca Józefa Piłsudskiego, jest w pełni uzasadnione. Oby jeszcze było skuteczne"[12].

Na pierwsze efekty działań pułkownika trzeba było czekać blisko dwadzieścia lat. W 1978 r. przedstawiciele środowisk antykomunistycznych przystąpili do prac społecznych przy kopcu i przy poparciu Józefa Skotnickigo, dyrektora Miejskiego Parku i Ogrodu Zoologicznego, wykarczowali około pięciuset drzew i krzewów. Wywołało to oburzenie konsulatu sowieckiego i interwencję u prezydenta miasta. Mimo zaangażowania władz, winnych nie odnaleziono.

W 1980 r., jeszcze przed powstaniem Solidarności, prace przy kopcu ruszyły pełną parą. W tym czasie powstał przy Towarzystwie Miłośników Historii i Zabytków Krakowa Komitet Opieki nad Kopcem Józefa Piłsudskiego. Jego działalność i późniejszy rozłam to osobna historia.

Do 1991 r. kontynuowano prace społeczne, w które angażowali się członkowie komitetu nie tylko z Krakowa. Przyjeżdżały do pracy grupy ochotników, jak przed wojną, z całej Polski. 26 listopada 1992 r. honorowy patronat nad kopcem przyjął Sejm RP. Od tego czasu renowacja kopca nabrała tempa, była też wykonywana przez profesjonalne firmy budowlane. Wydawałoby się, że nic już nie zagrozi kopcowi, jednak ulewne deszcze z lat 1996, 1997 i 2010 pokazały, że ten szczególny zabytek wymaga stałej i troskliwej opieki.

---

[11] Oba cytaty za: *Józef Herzog Żołnierz Niepodległości. Wspomnienia i dokumenty*, oprac. P. Wywiał, Kraków 2010, s. 582 i 587. Obok Barbakanu w Krakowie były groby żołnierzy sowieckich, przy których w PRL odbywały się uroczystości.

[12] W. Pęgiel, *Kopiec Niepodległości 50 lat później*, „Piłsudczyk" 1995, numer specjalny, s. 18.

Co roku na kopiec pielgrzymują tysiące osób, odbywają się tam festyny, majówki i uroczystości państwowe. Na Sowińcu zaczyna swoją wędrówkę Marsz Szlakiem I Kompanii Kadrowej, a data 6 sierpnia na nowo weszła do kalendarza rocznic narodowych. Nie ustaje też składanie kolejnych urn zawierających ziemię z miejsc związanych z polską historią i tym samym ta Mogiła Mogił, choć skazana niegdyś na wymazanie ze świadomości historycznej, żyje nadal i cieszy Polaków. ▪

BIBLIOGRAFIA

Adamczyk J., *Pozdrowienia spod Kopca Józefa Piłsudskiego...*, [w:] „Poczta Polska" 2001, nr 19.

Bukowski J., Hnatowicz R., Pegiel W., *Historia Kopca Józefa Piłsudskiego 1934–2002*, Kraków 2002.

Fischer I., *Historia kopca Józefa Piłsudskiego na Sowińcu. Część I: Od pomysłu do śmierci patrona*, „Sowiniec. Materiały historyczne" 2002, nr 21.

Fischer I., *Historia kopca Józefa Piłsudskiego na Sowińcu. Część II: Żałoba mija – nie mija pamięć*, „Sowiniec. Materiały historyczne" 2003, nr 22.

Fischer I., *Historia kopca Józefa Piłsudskiego na Sowińcu. Część III: Zakończenie sypania kopca*, „Sowiniec. Materiały historyczne" 2007, nr 31.

Gill G., *Kopce w krajobrazie kulturowym Polski*, Kraków 2002.

Kantor L., *Komitet Opieki nad Kopcem Józefa Piłsudskiego (1980–2002)*, „Sowiniec. Materiały historyczne" 2007, nr 31.

Kantor L., *Kopiec J. Piłsudskiego na Sowińcu* (praca magisterska, Uniwersytet Pedagogiczny w Krakowie).

Kruger M., *1000 urn na Kopcu na Sowińcu*, „Sowiniec" 1984, nr 1.

Nowak J.T., *Urny na Kopiec Marszałka Józefa Piłsudskiego w Krakowie w zbiorach Muzeum Historycznego miasta Krakowa*, Kraków 2008.

Oettingen U., *Jak zaprojektowano kopiec Piłsudskiego*, „Echo Krakowa" nr 153, 1990.

Oettingen U., *Urny na kopiec Marszałka Piłsudskiego*, [w:] „Gazeta Wyborcza" (dodatek „Gazeta Lokalna", Kielce) nr 76, 1991.

Pęgiel W., *Kopiec Niepodległości 50 lat później*, [w:] „Piłsudczyk" 1995, numer specjalny 15–16.

Śliwczyński W., *Kopiec odbudowany*, „Sowiniec. Materiały historyczne" 2005, nr 26.

Waksmundzki K.A., *Kopiec Józefa Piłsudskiego – Kopiec Niepodległości*, „Rocznik Krakowski" 1986, t. LII.

Zinkow J., *Z dziejów Kopca Piłsudskiego na Sowińcu*, [w:] „Sowiniec" 1984, nr 1.

Iwona Fischer (ur. 1971) – historyk i archiwista, pracownik Archiwum Narodowego w Krakowie. Autorka artykułów dotyczących historii Krakowa i metodyki archiwalnej.

Fot. www.trzecipomiechowek.org

Barbara Świtalska-Starzeńska

Fort III w Pomiechówku

Mało znane miejsce pamięci

Niemiecki obóz karno-śledczy w Forcie III w Pomiechówku pod Nowym Dworem Mazowieckim, istniejący w latach 1941–1945, jest nazywany największą katownią północnego Mazowsza. Ginęli tam Polacy i Żydzi.

Do tego fortu Niemcy zwozili chłopów z okolicznych wsi, nauczycieli, duchownych, lekarzy, żołnierzy Armii Krajowej, Narodowych Sił Zbrojnych, Batalionów Chłopskich oraz Gwardii Ludowej. W obozie zostali zamordowani m.in. wiceprezydent Gdyni Aleksander Jezierski i poseł Julian Łabęda. W końcowym okresie przetrzymywano tam również niemieckich dezerterów i jeńców sowieckich. Groby ofiar Fortu III można znaleźć na wielu cmentarzach mazowieckich: w Czernicach Borowych, Ciechanowie, Krzynowłodze Małej, Mławie, Płońsku, Pomiechowie i Przasnyszu.

Geneza

Fort III w Pomiechówku został wybudowany przez inżynierów rosyjskich w latach 1878–1880, za panowania cara Aleksandra III. Wzniesiony na wzgórzu na prawym brzegu Wkry, należał do zewnętrznego pierścienia twierdzy Modlin. Miał służyć obronie przeprawy przez Wkrę, kontrolowaniu doliny Narwi, blokowaniu drogi z Nasielska do Serocka oraz linii Kolei Nadwiślańskiej. W 1916 r., w czasie I wojny światowej, przebywali w nim legioniści Józefa Piłsudskiego. W II Rzeczypospolitej fort miał rangę podgarnizonu twierdzy Modlin i stanowił jedną z ważnych składnic amunicji, połączoną koleją wąskotorową z innymi obiektami. Stacjonowali tam żołnierze 79., potem 32. pułku piechoty oraz Oddziału Służby Uzbrojenia, stanowiący obsługę Pomocniczej Składnicy Uzbrojenia nr 1. We wrześniu 1939 r. fort był broniony przez żołnierzy 36. pp Legii Akademickiej (wchodzącej w skład 28. Dywizji Piechoty), wspieranych przez pociąg pancerny „Śmierć". W rękach polskich pozostawał do 28 września[1].

W czasie okupacji niemieckiej Pomiechówek (nazwany przez Niemców Pomiechowek) podlegał pod rejencję ciechanowską (Regierungsbezirk Zichenau), utworzoną z ziem północnych Mazowsza i włączoną do istniejącej wcześniej prowincji Rzeszy Prusy Wschodnie (Ostpreußen). W rejencji utworzono ok. 50 obozów różnego rodzaju: pracy, karnych, przejściowych, jenieckich i wychowawczych[2].

---

[1] J. Dąbrowski, *Historia garnizonu Modlin w latach 1919–1939*, Pruszków 2000, s. 37–38; A. Wesołowski, *36 Pułk Piechoty Legii Akademickiej w obronie odcinka »Pomiechówek«: (14–28 września 1939)*, „Niepodległość i Pamięć. Czasopismo muzealno-historyczne" 2009, nr 2, s. 135 i nast.; P. Oleńczak, *Osiem wieków w dolinie Wkry. Pomiechowo i Pomiechówek: zarys dziejów*, Warszawa 2015, s. 78, 130–137.

[2] R. Juszkiewicz, *Obozy w rejencji ciechanowskiej*, „Notatki Płockie" 1968, nr 1, s. 37–38 (autor podjął próbę wyliczenia obozów na terenie rejencji ciechanowskiej, jednak nie jest to wyczerpujące źródło); *Okupacja i ruch oporu w Dzienniku Hansa Franka 1939–1945*, t. 1: *1939–1942*, oprac. S. Płoski, L. Dobroszycki [et al.], wyd. 2, Warszawa 1972, s. 114–115; M. Grynberg, *Obozy w rejencji ciechanowskiej*, „Biuletyn Żydowskiego Instytutu Historii" 1981, nr 1, s. 45; *idem*, *Żydzi w rejencji ciechanowskiej 1939–1942*, Warszawa 1984, s. 11–12; *Archiwum Ringelbluma. Konspiracyjne Archiwum Getta Warszawy*, t. 8: *Tereny wcielone do Rzeszy: Okręg Rzeszy Gdańsk-Prusy Zachodnie, rejencja ciechanowska, Górny Śląsk*, oprac. M. Siek, Warszawa 2012, s. XVI.

Obóz w Pomiechówku, podlegający Policji Bezpieczeństwa (Sicherheitspolizei) w Nowym Dworze Mazowieckim[3], w dokumentach niemieckich jest określany jako Polizei-Gefängnis (więzienie policyjne). W literaturze nazywa się go także więzieniem karno-śledczym lub obozem koncentracyjnym. Można również spotkać sformułowanie „obóz śmierci w fortach Pomiechówka k. Nowego Dworu Mazowieckiego". Gdy więziona była w nim ludność żydowska, określano go jako getto żydowskie albo getto-obóz. Utworzono go najprawdopodobniej w marcu 1941 r. z powodu przeludnienia w gettach w rejencji ciechanowskiej, zlikwidowano zaś w styczniu 1945 r.

Eksterminacja i życie w obozie

Na początku marcu 1941 r. do fortu przywieziono rolników z okolic Nasielska, Sochocina oraz Płońska podejrzanych o współpracę z partyzantami, a 10 marca – zakonników i zakonnice z kościoła mariawickiego z Felicjanowa wraz z pensjonariuszami z miejscowego zakładu starców i kalek. Byli też Żydzi. Do czerwca część więźniów wypuszczono, pozostałych skierowano do Rzeszy na roboty. Do fortu Niemcy zaczęli zwozić niemających dokumentów Żydów z Bieżunia, Bodzanowa, Mławy, Nowego Dworu Mazowieckiego, Płońska, Raciąża i Sierpca. Na przykład 13 lipca 1941 r. ściągnięto do fortu 2 tys. Żydów z getta w Nowym Dworze Mazowieckim, 107 z Zakroczymia i 1,2 tys. z Płońska[4]. Przebywali tam do 14 sierpnia. Przez ten czas pomoc uwięzionym niosły rady żydowskie (judenraty) z Nowego Dworu i Płońska, na przykład bezpośrednio dostarczając pożywienie. To samo czyniła miejscowa ludność. Dzięki staraniom rad żydowskich z Nowego Dworu, Płońska i Zakroczymia Niemcy zgodzili się na przewiezienie pozostających przy życiu Żydów z Fortu III do Generalnego Gubernatorstwa[5]. Na terenie fortu przeprowadzono zaś prace budowlane, przerabiając go na obóz

[3] We wrześniu 1939 r. Niemcy przemianowali Nowy Dwór Mazowiecki na Neuhof, a w 1942 r. na Bugmünde. Zob. *Obozy hitlerowskie na ziemiach polskich 1939–1945*, red. Cz. Pilichowski [et al.], Warszawa 1979, s. 396.

[4] J. Grabowski, *Polityka antyżydowska na terenie rejencji ciechanowskiej*, [w:] *Zagłada Żydów na polskich terenach wcielonych do Rzeszy*, red. A. Namysło, Warszawa 2008, s. 65.

[5] *Encyklopedia of Camps and Ghettos, 1933–1945*, t. 1: *Early Camps, Youth Camps, and Concentration Camps and Subcamps under the SS-Business Administration Main Office (WVHA)*, cz. A, red. G.P. Megargee, Bloomington and Indianapolis 2009, s. 25.

Niemieccy panowie życia i śmierci. Fot. ze zbiorów Wandy Kraszewskiej

koncentracyjny. Tę funkcję pełnił do końca wojny. Obecnie trudno zweryfikować liczbę więźniów niemieckiego obozu w Pomiechówku. Według różnych źródeł, miało przezeń przejść od 50 do 100 tys. osób[6].

W rejencji ciechanowskiej działał Sąd Doraźny Niemieckiej Policji Bezpieczeństwa (Polizeistandgericht). Jego posiedzenia odbywały się m.in. na terenie Fortu III w Pomiechówku. Gdy zapadał wyrok skazujący na śmierć, przystępowano do jego wykonania tego samego dnia[7].

Fort III był ogrodzony parkanem z drutu kolczastego, prowadziła do niego brukowana droga, która dochodziła do żelaznej bramy, a za nią rozciągał się plac. Po jego prawej stronie były bunkry z pomieszczeniami administracyjnymi dla kierownictwa więzienia oraz kuchnia. W dalszej części fortu znajdowały się

---

[6] B. Dymek, J. Kazimierski, *Hitlerowskie więzienie policyjne w Pomiechówku*, „Rocznik Mazowiecki" 1976, t. 6, s. 91–122; M. Grynberg, *Żydzi w rejencji...*, s. 80; T. Rutkowski, *Pomiechówek – Gefangenenlager und Ghetto*, http://www.erinnerungsorte.org/lager/mpc/Memorial/mpa/show/mp-place/pomiechowek-oboz-jeniecki-i-getto/ [dostęp: 6 VII 2018 r.].

[7] E. Kurkowska, *Procedura karna na ziemiach polskich okupowanych przez Niemcy w czasie II wojny światowej*, „Studia Iuridica Lublinensia" 2012, nr 17, s. 151–191; J. Piwowar, *Działalność sądu doraźnego (Standgericht) w świetle zachowanych akt Tajnej Niemieckiej Policji Państwowej w Ciechanowie-Płocku*, „Notatki Płockie" 2017, nr 3, s. 33.

magazyny, mieszkania strażników i łaźnia, wykorzystywana jako miejsce tortur. Pod sufitem zamontowano stalową szynę, do której przywiązywano więźniów. Wokół dziedzińca więziennego było dzie sięć cel głównych, każda o długości 10 m i szerokości 8 m. Nad nimi znajdował się nasyp ziemny, nazywany górką, gdzie rozstrzeliwano albo wieszano więźniów. W jednej celi przetrzymywano od sześćdzie sięciu do osiemdzie sięciu osób, które spały na betonowej posadzce. Więźniowie polityczni przebywali w osobnej celi, nie mieli możliwości kontaktowania się z innymi skazanymi[8]. Cele rzadko wietrzono, panował w nich smród i było robactwo, a więźniowie zapadali na choroby skórne, tyfus i biegunkę. Nie było światła, osadzeni nie mieli też dostępu do wody. Więźniom doskwierał głód. Nie zmieniali ubrań; chodzili w rzeczach, w których zostali przywiezieni do obozu[9].

Nadzór nad obozem sprawowali gestapowcy: komisarz Schaper z Nowego Dworu Mazowieckiego oraz SS-Sturmbannführer Schultz z Ciechanowa. Załogę obozu stanowili funkcjonariusze gestapo, Selbstschutzu, wachmani i pracownicy administracji wywodzący się z lokalnych folksdojczów[10]. Odznaczali się oni wyjątkowym okrucieństwem. Podczas posiłków szczuli więźniów psami. Blizny powstałe w wyniku pogryzień długo się goiły. A bywało również tak, że psy zagryzały ludzi. Gestapowcy, będąc po wpływem alkoholu, wchodzili do cel i bili pałkami gdzie popadnie lub gwałcili kobiety. Kopali oraz bili więźniów batami ze skóry lub gumy, kijami okutymi na końcu metalem. W trakcie przesłuchań stosowano tortury, m.in. bito w pięty i wykonywano „stójkę", tzn. zawiązywano więźniowi

[8] „Mianem »politycznych« nazywali Niemcy różne grupy więźniów, na ogół niemające nic wspólnego z podobną działalnością – z zasady Polaków, nadto zakładników podejrzanych o »bandytyzm« (partyzantów i ich pomocników), jeńców oraz obywateli sowieckich bez względu na narodowość". Cyt. za: A. Pietrowicz, J. Żurek, *Więzienno-obozowe wspomnienia Wandy Serwańskiej*, „Biuletyn IPN" 2018, nr 1–2 (146–147), s. 97–125, tu: s. 103.

[9] IPN KŚZpNP, Akta śledztwa Ds. 2/71, t. 13, Protokół zeznań Józefa Kwiatkowskiego z 18 VII 1968 r., k. 27–28; *ibidem*, Protokół zeznań Henryka Łukaszewskiego z 18 VII 1968 r., k. 35.

[10] Folksdojcze (od Volksdeutscher – etniczny Niemiec) – osoby wpisane 1939–1945 przez odpowiednie władze III Rzeszy na niemiecką listę narodową (Deutsche Volksliste) na podstawie kryteriów narodowych i rasowych, będące dotychczas obywatelami państw okupowanych przez Niemcy, szczególnie zamieszkujące na obszarach włączonych do Rzeszy, m.in. na Górnym Śląsku, Pomorzu, w Wielkopolsce i na północnym Mazowszu. Zob. *Wielka Encyklopedia PWN*, t. 28, red. nacz. J. Wojnowski [et al.], Warszawa 2005, s. 479; *Archiwum Ringelbluma: konspiracyjne Archiwum Getta Warszawy*, t. 13: *Ostatnim etapem przesiedlenia jest śmierć: Pomiechówek, Chełmno nad Nerem, Treblinka*, oprac. E. Wiatr, B. Engelking, A. Skibińska, Warszawa 2013, s. 229.

> Z przesłuchań więźniowie wracali z połamanymi rękami, nogami, żebrami, wybitymi zębami. Często się zdarzało, że umierali w trakcie przesłuchania lub po powrocie do celi.

ręce, które miał złożone na plecach – następnie podciągano do takiej wysokości, by stopy nie dotykały ziemi. Innym razem wieszano za nogi. Gdy torturowani tracili przytomność, cucono ich, polewając wodą. Z przesłuchań ludzie wracali z połamanymi rękami, nogami, żebrami, nosami, pozrywanymi ścięgnami ramion, z odbitymi pośladkami, wybitymi zębami lub oczami. Często się zdarzało, że umierali w trakcie przesłuchania bądź po powrocie do celi[11].

Rotacja więźniów w Forcie III była bardzo duża. Wywożono ich do innych obozów, zabijano lub zwalniano, a w ich miejsce zjawiali się kolejni. Zdarzały się pomyślne ucieczki. Według relacji byłych więźniów, od 6 maja do 17 listopada 1943 r. Niemcy mordowali przeciętnie trzydzieści, czterdzieści osób dziennie. Przywożono ludzi z innych obozów, m.in. z Działdowa, skąd 31 maja 1943 r. przetransportowano 49 żołnierzy Armii Krajowej, straconych następnie przez powieszenie. 15 kwietnia tego samego roku w forcie znalazło się trzystu wysiedlonych mieszkańców wsi z terenu Puszczy Kampinoskiej: Górki, Narty, Zamczyska i Zamościa; 20 marca 1943 r. rozstrzelano czternaścioro żydowskich dzieci w wieku od 2 do 14 lat, które ukrywały się w lesie pod Pomiechówkiem. Z kolei 25 czerwca tego samego roku wykonano wyroki śmierci na 169 członkach Gwardii Ludowej, Polskiej Partii Robotniczej oraz trzech członkach Armii Krajowej. Wszyscy zostali rozstrzelani – odstąpiono od ich powieszenia z obawy przed zarazą, ponieważ byli chorzy na czerwonkę.

Do Pomiechówka 30 lipca 1943 r. przywieziono 10 podoficerów 11. Pułku Ułanów Legionowych w wieku od 33 do 49 lat, stacjonujących przed wojną w Ciechanowie i służących na posterunku ciechanowskiej Straży Granicznej. Istnieją rozbieżności co do okoliczności ich śmierci – niektóre źródła informują, że zostali zamurowani żywcem. Również w lipcu 1943 r. Niemcy powiesili

[11] IPN KŚZpNP, Akta śledztwa Ds. 2/71, t. 13, Protokół zeznań Józefa Kwiatkowskiego z 18 VII 1968 r., k 27; *ibidem*, Protokół zeznań Albina Brześkiewicza z 18 VII 1968 r., k. 30; *ibidem*, Protokół zeznań Bolesława Witaszka z 18 VII 1968 r., k. 31; *ibidem*, t. 15, Protokół zeznań Józefa Kwiatkowskiego z 9 XI 1968 r., k. 126.

ok. 100 osób. Następnie 4 lutego 1944 r. powieszono 106 żołnierzy podziemia, w tym 24 żołnierzy AK, w sierpniu 1944 r. – 150 więźniów, w listopadzie – 36 osób, 12 grudnia – ok. 200, a pod koniec tego miesiąca rozstrzelano 130 osób. W styczniu 1944 r. na „górce" powieszono 193 więźniów, 4 lutego – 123 osoby. Ciał pozbywano się poprzez umieszczanie ich w dołach, a następnie podpalanie ich, po czym popiół rozsypywano na terenie fortu[12].

Nieraz o karze śmierci decydował stan zdrowia więźnia, niepozwalający wysłać go do obozu koncentracyjnego. Poza tym obawiano się zarazy. Jako przykład niech posłuży casus Stanisława Dominiaka. Chory na gruźlicę płuc, został skazany przez sąd doraźny na karę śmierci, wykonaną przez rozstrzelanie w Pomiechówku 19 marca 1944 r.[13]

Gdy Niemcy zorientowali się, że wojna zakończy się ich klęską, zaczęli zacierać ślady zbrodni. Od stycznia 1944 r. pracowała specjalnie ściągnięta grupa szesnastu Żydów, zmuszonych do odkopywania dołów z ciałami pomordowanych i zmarłych, które następnie polewano benzyną i palono. Doły z prochami ludzkimi były na powrót zasypywane ziemią. Później przygotowano specjalny ruszt, na którym kładziono ciała na przemian z warstwami drewna. Gotowy stos oblewano benzyną i podpalano. Ciała płonęły dzień i noc. Nad okolicą unosiły się smród spalenizny i duszący dym.

Największą egzekucję przeprowadzono 30 lipca 1944 r., dwa dni przed wybuchem Powstania Warszawskiego. Niemcy postanowili zlikwidować obóz, żeby więźniowie nie zostali uwolnieni przez zbliżającą się Armię Czerwoną. Początkowo. 29 lipca, pędzono ich na stację w Modlinie do pociągu ewakuacyjnego, jednakże ten nie przybył do późnych godzin popołudniowych. Podjęto wówczas decyzję o powrocie do obozu. Nazajutrz zmuszono więźniów do kopania dołów, po czym odbyła się masowa egzekucja. Strzały w krótkich odstępach czasu było słychać od 11.00 do 18.00. Zginęło co najmniej 281 więźniów, m.in. członkowie AK z Zakroczymia. Po egzekucji zniszczono dokumentację obozu; w pierwszych dniach sierpnia był on już opuszczony. Dopiero na przełomie sierpnia i września, w trakcie Powstania Warszawskiego, w forcie ponownie uwięziono Polaków. Byli oni przetrzymywani do przełomu lat 1944 i 1945, kiedy to obóz został ewakuowany. Wykorzystywano

---

[12] IPN KŚZpNP, Akta śledztwa Ds. 2/71, t. 13, Protokół zeznań Teodora Szymankiewicza z 18 VII 1968 r., k. 26; *ibidem*, Protokół zeznań Bolesława Witaszka z 18 VII 1968 r., k. 31, 33; *ibidem*, Protokół zeznań Henryka Łukaszewskiego z 18 VII 1968 r., k. 35.

[13] Zob. szerzej: J. Piwowar, *Działalność sądu...*, s. 33–35.

Fot. www.trzecipomiechowek.org

ich jako siłę roboczą przy kopaniu umocnień oraz przy zacieraniu śladów zbrodni. O obecności tych ludzi, m.in. mieszkańców Marek i Wołomina, świadczą choćby napisy pozostawione na ścianach podziemnych korytarzy Fortu III[14].

Losy Fortu III po 1945 r. i potrzeba pamięci

Po wyzwoleniu obozu zjawiły się rodziny pomordowanych. Była w tym gronie Janina Falkowska-Ignicka, żona zamordowanego w Pomiechówku Michała

[14] KŚZpNP, Akta śledztwa Ds. 2/71, t. 10, Protokół przesłuchania Kazimierza Lewandowskiego z 24 VII 1974 r., k. 1617; *ibidem*, Protokół przesłuchania Franciszka Karolowskiego z 3 III 1970 r., k. 1626.

Fort III w Pomiechówku – wejście do cel. Fot. Piotr Jaźwiński

Falkowskiego, komendanta AK na powiat płocki, aresztowanego 18 września 1943 r. w Bodzianowie. „Gdy weszliśmy na teren fortu – zeznała po latach – na środku był plac, a dalej z boku była szubienica. Na całym tym placu przy forcie śniegu nie było, a jak pamiętam, był żółty piasek. Na tym piasku widoczne były kupki popiołu, a inni ludzie, którzy tam byli ze mną, mówili, że jest to popiół ze spalonych ciał ludzkich. Prawie na całym placu, a może nawet do połowy placu, płytko zakopywane były zwłoki ludzkie. W wielu miejscach wystawały z ziemi ręce, nogi, gdzie indziej plecy lub też części ubrania”[15].

Dotychczas przeprowadzono trzy ekshumacje na terenie Fortu III: pierwszą w kwietniu 1945 r., drugą w listopadzie 1946 r. i trzecią w sierpniu 1966 r. W roku 1968 Okręgowa Komisja Badania Zbrodni Hitlerowskich w Warszawie

[15] IPN KŚZpNP, Akta śledztwa Ds. 2/71, t. 15, Protokół zeznań Janiny Falkowskiej z 15 XI 1968 r., k. 108.

rozpoczęła śledztwo w sprawie obozu w Pomiechówku. Cztery lata później wraz z Powiatowym Komitetem Frontu Jedności Narodu w Nowym Dworze oraz Wojewódzkim Komitetem Wykonawczym PZPR zorganizowała w Pomiechówku sesję pod nazwą „Pomiechówek oskarża". Następie we wrześniu 1972 r. na placu przed szkołą w Pomiechówku odsłonięto pomnik ku czci więźniów obozu dłuta Gustawa Zemły, a w miejscowej szkole podstawowej zorganizowano Izbę Pamięci Narodowej[16].

Od 1952 do 2006 r. Fort III był składnicą amunicji Wojska Polskiego. Od marca 2008 r. jest wpisany do rejestru zabytków. Obecnie znajduje się pod opieką Agencji Mienia Wojskowego, która zapewnia obiektowi ochronę, dzięki czemu nie uległ on grabieży ani dewastacji. W 2009 r. przeprowadzono na terenie fortu prace badawcze[17].

Obecnie po Forcie III są oprowadzane wycieczki. Pojawiają się również krewni osób, które tutaj zamordowano. Stawiają świece, tabliczki, oddają hołd ich pamięci. Zdarzają się sytuacje, że syn dowiaduje się po ponad siedemdziesięciu latach, że jego ojciec zginął w niemieckim obozie w Pomiechówku. Wskazuje to, że konieczne jest przeprowadzenie pogłębionych badań nad historią Fortu III w latach 1939–1945 i że należy pielęgnować pamięć o tych, którzy już nie mogą zabrać głosu. Tragedie ludzkie, które rozegrały się w Forcie III w Pomiechówku podczas II wojny światowej, powinny zostać wydobyte z niepamięci i godnie upamiętnione. Dowodzą bowiem, jakim nieszczęściem są wojna i hołdowanie ideologii, której fundamentem jest nienawiść do drugiego człowieka. ▪

---

[16] B. Dymek, J. Kazimierski, *Hitlerowskie więzienie...*, s. 103. M. Grynberg, *Obozy w rejencji...*, s. 58.

[17] P. Oleńczak, *Fort III w Pomiechówku jako miejsce pamięci narodowej. Lata zaniedbania i pilna potrzeba działań*, [w:] *Konserwacja zapobiegawcza środowiska. Dziedzictwo militarne „Archeologia Hereditas"*, t. 9, red. W. Borkowski, W. Brzeziński, J. Wysocki, Warszawa 2017.

Barbara Świtalska-Starzeńska (ur. 1986) – historyk, dr, pracownik Oddziałowego Biura Upamiętniania Walk i Męczeństwa IPN w Warszawie. Autorka książki *Człowiek szalony. Andrzej Niemojewski (1864–1921)* (2018).

BIULETYN IPN
PISMO O NAJNOWSZEJ HISTORII POLSKI
NR 9 (154), wrzesień 2018

Mogiła leśna żołnierzy AK w Leszczance.
Fot. Renata Soszyńska

Renata Soszyńska

Rocznica dla władzy niebezpieczna

Na niewielkiej polance wśród lasów, w pobliżu drogi z Wólki Plebańskiej do Witoroża (gmina Drelów, pow. bialski, woj. lubelskie), znajduje się grób żołnierski, określany od nazw pobliskich miejscowości jako mogiła w Leszczance lub w Janówce. W okresie peerelu chciano skazać to miejsce na zapomnienie. Pamięć o poległych żołnierzach AK okazała się trwalsza niż komunizm.

Napisy na granitowej tablicy informują, że jest to „Mogiła zbiorowa żołnierzy Armii Krajowej poległych w boju z Niemcami w dniach 22–26 lipca 1944 r.". Polegli to żołnierze Oddziału Partyzanckiego – 34. pp AK, którzy pod dowództwem mjr. Stefana Wyrzykowskiego „Zenona" brali udział w akcji „Burza" w południowo-zachodniej części Obwodu AK Biała Podlaska.

Akcja „Burza"

Walki faktycznie rozpoczęły się 21 lipca 1944 r. pod Łomazami. Tutaj śmierć ponieśli dwaj akowcy: niespełna osiemnastoletni Zbigniew Mieczysław Kwiek „Hermes", st. strzelec w plutonie minerów, i silny jak tur Stanisław Koc „Atleta", kapral z drużyny sanitarnej.

Dwa dni później, podczas walk w okolicy miejscowości Kozły, zginęli ppor. Bolesław Dąbrowski „Zdzisław", dowódca III plutonu piechoty, i Zdzisław Ponikowski „Balacha", kapral z plutonu minerskiego.

Największe żniwo śmierć zebrała 25 lipca w Leszczance. Tu polegli żołnierze III plutonu piechoty: kpr. Bogusław Jastrzębski „Boguś" i szer. Janusz Olszewski „Janusz". Straty poniósł również II pluton piechoty. Polegli: kpr. Mieczysław Wójtowicz „Groźny", kpr. Krzysztof Orzechowski „Oksza" i kpr. Władysław Bocian „Żuraw". W tym samym dniu zginął Janusz Kotasiewicz „Sewan", st. szer. z plutonu łączności.

Tak ten najbardziej dramatyczny dzień zapamiętała Alina Fedorowicz „Marta", szefowa drużyny sanitarnej: „Idziemy w stronę smolarni i liczymy naszych zabitych. Zginął bohaterską śmiercią plutonowy »Żuraw«, mistrz od erkaemu, dobry serdeczny kolega, podlaski gospodarz, któremu całą rodzinę wymordowali Niemcy. Padli czterej chłopcy: »Groźny«, Janusz, »Boguś« i »Oksza«. »Groźny«, osaczony przez Niemców w zagajniku i ranny, najwyraźniej dobity. Smutno nam, ale na wojnie to tak: dziś – mnie, jutro tobie, wiadomo, żołnierska to rzecz. [...] Zaraz po zakończeniu walk zwieźliśmy większość zabitych do wspólnej mogiły pod pamiętną smolarnią. Wyciosaliśmy im krzyż brzozowy i dali prostą tabliczkę"[1].

Pamięć o poległych

Na żołnierskim grobie znajduje się dziesięć tablic z nazwiskami i pseudonimami poległych[2]. Po wojnie bliscy „Hermesa", „Zdzisława", „Bogusia", „Okszy" i „Balachy" przenieśli ciała poległych do rodzinnych grobów na cmentarzu rzymskokatolickim

[1] A. Fedorowicz „Marta", *Na dawnych szlakach. Młody las. Opowieść prawdziwa z lat wojny. Zapiski sanitariuszki Oddziału Partyzanckiego „Zenona" (marzec–sierpień 1944)*, oprac. M. Bechta, D. Magier, Lublin 2013, s. 126.

[2] Na tablicy nagrobnej pierwotnie figurowały dane Zygfryda Składanka „Brzechwy", ale w późniejszych latach ustalono, że przeżył on wojnę, a w leśnej mogile spoczywa najprawdopodobniej Janusz Kotasiewicz „Sewan".

przy ul. Cmentarnej w Siedlcach. Poświęcone im tablice imienne znajdujące się na leśnej mogile mają już wymiar symboliczny[3]. W 1964 r. staraniem „Zenona" i jego podkomendnych na leśnej mogile postawiono betonowy nagrobek[4]. Latem 1977 r. odbyło się pierwsze spotkanie środowiska skupiającego byłych żołnierzy oddziału „Zenona" – Msza św. polowa z udziałem około stu osób[5]. Służba Bezpieczeństwa dowiedziała się o tym rok później – przy okazji kolejnej takiej uroczystości.

22 Lipca kontra kombatanci z AK

W lipcu 1978 r., na kilka dni przed planowanym spotkaniem, Wydział III Komendy Wojewódzkiej MO w Białej Podlaskiej wszczął Sprawę Operacyjnego Sprawdzenia o kryptonimie „Rocznica". Impulsem dla podjętych działań była informacja z podsłuchu telefonicznego, pozyskana przez Wydział IV, zajmujący się inwigilacją Kościoła (podsłuch prawdopodobnie założono u ks. Romana Soszyńskiego).

Wiadomość o tym, że kombatanci z „burżuazyjnej" AK planują przy leśnej mogile uroczystość wraz z Mszą św. polową w intencji poległych żołnierzy, zelektryzowała włodarzy Białej Podlaskiej. Tym bardziej że spotkanie miało się odbyć 22 lipca – w komunistyczne „Święto Odrodzenia Polski". W ruch poszła machina urzędnicza. Pisma były rozsyłane nie tylko wewnątrz SB, lecz również do sekretarza Komitetu Wojewódzkiego PZPR w Białej Podlaskiej, wojewody oraz naczelnika gminy Drelów.

Jeden z funkcjonariuszy pojechał na miejsce, aby rozpoznać teren i spisać dane poległych (zrobił to z błędami). Zebrane informacje wskazały na to, że w organi-

---

[3] Ze wspomnień Tadeusza Sobieszczaka „Dudka" wynika, że Bolesław Dąbrowski „Zdzisław" miał ponowny, uroczysty pogrzeb z salwą honorową, w którym uczestniczyli żołnierze z oddziału „Zenona". Zob. S. Kordaczuk, *Podlaskim szlakiem Oddziału Partyzanckiego „Zenona"*, Siedlce 2007, s. 142. Z tej publikacji wynika, że grób Dąbrowskiego został zlikwidowany (taką informację przekazał w 2003 r. Sobieszczak). W rzeczywistości grób Dąbrowskiego się zachował. Na nowym pomniku nagrobnym brakuje co prawda informacji o przynależności poległego żołnierza do AK, lecz data śmierci pozwala na stwierdzenie, że z całą pewnością jest to miejsce spoczynku Dąbrowskiego.

[4] S. Kordaczuk, *Podlaskim szlakiem...*, s. 83

[5] AIPN Lu, 0179/148. W dotychczasowych publikacjach błędnie podawano, że pierwsze spotkanie byłych żołnierzy i współpracowników „Zenona" odbyło się w 1978 r.

> Wiadomość o tym, że kombatanci z »burżuazyjnej« AK planują przy leśnej mogile uroczystość z Mszą św. polową, zelektryzowała włodarzy Białej Podlaskiej. Tym bardziej że spotkanie miało się odbyć 22 lipca – w komunistyczne »Święto Odrodzenia Polski«.

zację uroczystości – poza Stefanem Wyrzykowskim i proboszczem parafii św. Anny w Białej Podlaskiej – jest zaangażowany Władysław Rymarczuk z Janówki. Bezpieka ustaliła, że ten były współpracownik oddziału „Zenona" „utrzymuje bliskie kontakty z klerem", a ponadto „zaktywizował okoliczną młodzież do prac porządkowych przy płycie pamiątkowej"[6].

Urzędowa bitwa

Ksiądz Soszyński, nieświadomy zakulisowych działań SB, czynił przygotowania do uroczystości. W piśmie datowanym na 16 czerwca 1978 r. powiadomił – analogicznie jak rok wcześniej – Urząd Gminy w Drelowie o zamiarze odprawienia Mszy polowej. Naczelnik gminy 12 lipca wydał decyzję odmowną, powołując się na art. 10 ustawy o zgromadzeniach. W uzasadnieniu podkreślił, że „tego rodzaju uroczystości nie mają żadnej tradycji na naszym terenie"[7]. Ksiądz Soszyński 21 lipca złożył odwołanie do wojewody.

Tego samego dnia – zgodnie z planem działań ustalonym przez SB – rozmowę ostrzegawczą z księdzem przeprowadził kpt. Czesław Jóźwik, kierownik sekcji w Wydziale IV KWMO. Jóźwik zagroził konsekwencjami w przypadku złamania zakazu, ksiądz z kolei – powiadomieniem episkopatu. Jak wynika z zachowanej notatki służbowej, podczas rozmowy ostrzegawczej ks. Soszyński oznajmił funkcjonariuszowi SB, że rok wcześniej o pozwolenie nie występował, lecz jedynie poinformował władze gminy o swych zamiarach. Można domniemywać, że w roku 1977 władze gminy przyjęły do wiadomości, że jest organizowana uroczystość, a SB nie podjęła działań destrukcyjnych, ponieważ o niczym nie wiedziała.

Tym razem stało się inaczej. Negatywna decyzja wojewody nadeszła jeszcze tego samego dnia. Na nic zdały się argumenty księdza o udokumentowanych

---

[6] AIPN, Lu 0179/148, k. 28.

[7] AIPN, Lu 0179/148, k. 36.

zasługach poległych żołnierzy dla Ojczyzny. Na nic podanie dowodów z opracowań historycznych – wojewoda nie znalazł podstaw do uchylenia zaskarżonej decyzji. Nie wykazał też zrozumienia dla argumentu o historycznym znaczeniu tego miejsca, gdyż – jak napisał – „Wskazany pomnik w pobliżu Leszczanki nie figuruje w *Przewodniku po upamiętnionych miejscach walki i męczeństwa, lata wojny 1939–1945*, wydanym przez Radę Ochrony Pomników Walk i Męczeństwa w Warszawie".

Tak rodziła się tradycja

Za późno już było, aby powiadomić wszystkich zainteresowanych o odwołaniu uroczystości w Leszczance. O 10.00 przed mogiłą zgromadzili się okoliczni mieszkańcy w oczekiwaniu na rozpoczęcie Mszy polowej. Według wyliczeń SB (na miejscu pracowała ekipa z Biura „B" – zajmującego się m.in. obserwacją osób i obiektów), było to ok 100–150 osób, w innym źródle mowa o 200 uczestnikach. Informacje o powodach odwołania uroczystości, przekazywane z ust do ust, nie zniechęciły oczekujących – najwytrwalsi czekali na przyjazd legendarnego „Zenona" i jego podkomendnych. Po przeszło dwóch godzinach od strony Białej Podlaskiej nadjechała kolumna samochodów – SB naliczyła ich dziesięć. Mszę św., z udziałem kombatantów, ks. Soszyński odprawił w kościele św. Anny w Białej Podlaskiej, przy mogile odbyła się dalsza część uroczystości, skrzętnie rejestrowana przez bezpiekę. Księża z parafii św. Anny, co odnotowano w raportach SB, również robili zdjęcia, dokumentując na wszelki wypadek całe zdarzenie.

Materiały SB warto zestawić z relacjami żołnierzy, którzy ze wzruszeniem wspominali o okolicznych mieszkańcach, oczekujących na ich przyjazd w leśnej gęstwinie, i o serdecznych rozmowach po latach z tymi, u których kwaterowali w czasie wojny. Zgromadzeni mieli świadomość, że wśród nich są tajniacy z SB, i ostrzegali się nawzajem.

Bezpieka w raportach kończących sprawę odtrąbiła sukces. Dzięki czujności SB nie doszło do odprawienia Mszy polowej, co w opinii bezpieki znacznie obniżyło rangę uroczystości. Czytając wspomnienia żołnierzy, można odnieść zgoła odmienne wrażenie. Uroczystość obrosła legendą i właśnie opisane utrudnienia stały się czynnikiem integrującym środowisko „zenoniaków" i mieszkańców okolicznych miejscowości.

Zdjęcie z ukrycia wykonane przez SB. Fot. AIPN

Marsz gwiaździsty

W roku 1979 kontrola operacyjna ruszyła prewencyjnie w czerwcu. Włodarze Białej Podlaskiej wiedzieli, że uroczystość znów zaplanowano na 22 lipca. Wśród czołowych organizatorów SB wymieniła mjr. Stefana Wyrzykowskiego „Zenona", Alinę Fedorowicz „Martę" i Aleksandra Wereszkę „Rocha". Rozrosła się ekipa przeznaczona do inwigilacji. Wiadomości dotyczące przygotowań esbecy czerpali z podsłuchu. Do poszczególnych województw rozsyłano informacje o potencjalnych uczestnikach „nielegalnego zgromadzenia" (dane ich dotyczące SB ustaliła na podstawie numerów rejestracyjnych samochodów spisanych podczas poprzedniej uroczystości) z zaleceniem podjęcia „działań dezintegracyjnych", co w języku bezpieki oznaczało m.in. podsycanie antagonizmów w środowisku za pośrednictwem tajnych współpracowników oraz tworzenie anonimów szkalujących osoby z kręgu oddziału „Zenona".

Schemat działania władz był taki sam jak poprzednio – naczelnik gminy Drelów wydał decyzję odmowną. Tym razem proboszcz nie odwołał się do wojewody, a organizatorzy uroczystości zmienili pierwotne plany: Msza św. w intencji poległych towarzyszy broni została odprawiona na terytorium wyłączonym spod władzy SB – w kościele św. Anny w Białej Podlaskiej. Potem kombatanci razem z ks. Soszyńskim odwiedzili żołnierski grób.

To z tego roku pochodzi – zamieszczony w publikacji Sławomira Kordaczuka[8] – barwny opis spotkania na plebanii u ks. Soszyńskiego, zakłóconego przez wizytę „smutnych panów", którzy zakazali urządzania manifestacji przy grobie. Na polecenie „Zenona" jego podkomendni na wyznaczone miejsce ruszyli marszem gwiaździstym. Mimo utrudnień ze strony SB na kombatantów czekał, ku ich wielkiej radości, tłum ludzi.

Deszczowy lipiec 1980

Począwszy od 8 lipca 1980 r., w kolejnych miejscach Lubelszczyzny wybuchały strajki. W cieniu tych wydarzeń przygotowania do „zabezpieczenia" imprezy „zenoniaków" przebiegały inaczej niż do tej pory. W Komitecie Wojewódzkim PZPR w Białej Podlaskiej odbywa się 10 lipca narada z udziałem towarzyszy z KW Jana Walczuka i Tadeusza Lustyka, wicewojewody Mieczysława Sawickiego, prezydenta miasta Stanisława Wasiluka oraz Waldemara Wołynka, naczelnika Wydziału III KWMO. Tym razem do przeprowadzenia rozmowy ostrzegawczej z proboszczem parafii św. Anny w Białej Podlaskiej został wyznaczony prezydent Wasiluk.

Rozmowa się odbyła, lecz przekazane SB informacje – jak wynika ze sporządzonej notatki – wskazują raczej na to, że naciski prezydenta na proboszcza nie odniosły oczekiwanego skutku[9].

Elementem planowanej uroczystości, który szczególnie zainteresował SB, było odsłonięcie tablicy pamiątkowej w kościele św. Anny w Białej Podlaskiej. Można domniemywać, że prezydent miasta usiłował zniechęcić ks. Soszyńskiego do zawieszenia tej tablicy, argumentując to brakiem odpowiedniej zgody władz, gdyż w notatce przytoczono stwierdzenie księdza, że zgodę na zawieszenie tablicy w kościele wydał prymas Polski.

---

[8] S. Kordaczuk, *Podlaskim szlakiem*..., s. 84–85.

[9] AIPN, Lu 0179/291/1, k. 105–106.

W notatce podano nieprawdziwą informację, że tablica ku czci poległych żołnierzy AK jest bardzo ogólna. W rzeczywistości tablica, odsłonięta uroczyście z udziałem biskupa diecezji siedleckiej Jana Mazura i wisząca do dziś w kościele św. Anny, przywołuje znanych z imienia i nazwiska lub tylko pseudonimu 34 poległych żołnierzy oddziału „Zenona". Uroczystości ku czci poległych – jak zaznaczyła SB, „bez akcentów antypaństwowych" – odbyły się w kościele św. Anny 21, a nie 22 lipca (warto wspomnieć, że w 1980 r. z powodu strajków obchody „Święta Odrodzenia Polski" zostały odwołane).

W tym samym dniu po południu przy leśnej mogile została odprawiona Msza polowa – mimo zapewnień składanych SB przez prezydenta miasta, że do tego nie dojdzie. Z powodu niesprzyjających warunków pogodowych (nieprzejezdna po ulewnych deszczach droga) Msza miała tylko bardziej kameralny charakter.

Karnawał Solidarności...

...nie pozostał bez wpływu na działania kombatantów z AK. W tym szczególnym roku zaplanowali uroczystości ku czci poległych w I i II wojnie światowej i już same przygotowania do nich nabrały wielkiego rozmachu. To właśnie od 1981 r. Sanktuarium Matki Boskiej Leśniańskiej w Leśnej Podlaskiej było miejscem corocznych pielgrzymek żołnierzy oddziału „Zenona". W uroczystościach wyznaczonych na niedzielę 19 lipca 1981 r. wzięli udział nie tylko żołnierze z OP 34. pp AK Biała Podlaska, lecz również z OP 35. pp AK z Radzynia Podlaskiego i Łukowa. Byli również żołnierze Legionów, działacze Solidarności i Konfederacji Polski Niepodległej. Według wyliczeń SB, liczba uczestników sięgnęła 3 tys.

Popołudniowa uroczystość przy mogile leśnej w Leszczance zgromadziła 1,5 tys. ludzi. Mszę św., na którą „władza ludowa" tym razem wyraziła zgodę, tradycyjnie odprawił ks. Soszyński. Przybył również bp Mazur. Poświęcono wysoki na 5 m metalowy krzyż z wizerunkiem Chrystusa, Krzyżem Virtuti Militari i godłem Polski. Meldunek z przebiegu uroczystości SB opatrzyła hasłem „Wpływanie na świadomość społeczną poprzez organizowanie imprez nawiązujących do założeń ideowych i tradycji Polski burżuazyjnej".

Stan wojenny

W roku 1982 w Polsce trwał stan wojenny. Mimo to ks. Soszyński wystąpił o zgodę do komisarza wojskowego. Bezpieka wiedziała, że to papierek lakmusowy dla władzy. Władza zgodę wydała, ale zastępca komendanta MO ds. SB w Białej Podlaskiej zatwierdził rozbudowany plan działań: do „zabezpieczenia" imprezy przeznaczył ośmiu funkcjonariuszy SB, dwa samochody służbowe, minifon, sprzęt łączności i fotograficzny. W odwodzie czekała drużyna ZOMO. W Mszy za poległych 18 lipca 1982 r. uczestniczyło ok. 300 osób (w innym meldunku podano, że 400). Jak zanotowała SB, „impreza" przebiegła spokojnie. To samo można powiedzieć o uroczystości w roku 1983. Oprócz Mszy polowej, w której, według wyliczeń SB, wzięło udział ok. 300 osób, odbyła się część artystyczna. Wiersze Aliny Fedorowicz recytowali Jerzy Fedorowicz (syn „Marty") i Marek Perepeczko. SB odnotowała też, że zaśpiewano *Boże, coś Polskę* ze zmienionym tekstem (prosząc o przywrócenie wolności Ojczyźnie), a uczestnicy w większości podnieśli palce złożone w „V"[10].

Śmierć „Zenona"

Rok 1984 przebiegł dla SB niezauważenie, mimo że kombatanci rozpoczęli akcję zbierania funduszy na budowę kapliczki w miejscu mogiły. Alert ogłoszono w 1985 r. w związku ze śmiercią mjr. Wyrzykowskiego. Bezpieka wkroczyła do akcji, gdy dowiedziała się o pomyśle upamiętnienia zmarłego dowódcy. Według niej, ta inicjatywa to „zagrożenie", które należało wyeliminować. Środowisko „zenoniaków", świadome działań SB, zachowało się niezwykle wstrzemięźliwie i nie dało powodów do podejmowania jakichkolwiek drastycznych kroków.

Zainteresowanie SB działaniami kombatantów malało i ostatecznie Sprawa Operacyjnego Sprawdzenia „Rocznica III", wszczęta w kwietniu 1985 r., już dwa miesiące później została złożona do archiwum[11]. Tablica ku czci zmarłego dowódcy, ufundowana przez Stefana Serednickiego[12], została uroczyście odsło-

---

[10] AIPN, Lu 0179/291/2, k. 60.

[11] AIPN, Lu 0179/336.

[12] Stefan Serednicki – w czasie wojny używał innego imienia i nazwiska – Józef Lisiewicz. Tak jak Stefan Wyrzykowski, działał w Organizacji Wojskowej – Korpusie Bezpieczeństwa. Po wojnie wspierał członków podziemia wychodzących z więzień. Na stołecznych Powązkach Wojskowych wykupił kwaterę dla członków OW-KB, w której spoczywa m.in. Wyrzykowski. Zob. S. Kordaczuk, *Podlaskim szlakiem…*, s. 91.

nięta w Sanktuarium Matki Bożej Leśniańskiej podczas dorocznej pielgrzymki kombatantów w lipcu 1985 r.

Pamięć trwalsza niż „władza ludowa"

Już 74 lata minęły od czasu, gdy po walkach o Białą Podlaską w lipcu 1944 r. żołnierze oddziału „Zenona" triumfalnie wkroczyli do miasta. Tak wspominała te chwile Alina Fedorowicz „Marta": „Pamiętacie ten przemarsz radosny przez bliskie sercu tereny? A wjazd do Białej, gdzie ludzie usypali nam drogę kwiatami – i płakali? Zwyczajnie, bez patosu, bez gestów. Całe miasto"[13]. Wkrótce jednak rozpoczęły się prześladowania, wywózki do łagrów i więzienie. Jak pisała dalej „Marta": „Pamiętacie, co było później? Wszystko to nic. Jest dobrze, Chłopcy. Oby tylko w sercach, obok gotowości czynu, nie wzeszło nigdy ziarno nienawiści do swoich"[14]. Te słowa w pełni oddają ducha środowiska skupiającego żołnierzy „Zenona".

> Już 74 lata minęły od czasu, gdy latem 1944 r. żołnierze oddziału »Zenona« triumfalnie wkroczyli do Białej Podlaskiej. Mimo to przy mogile w Leszczance co roku w trzecią niedzielę lipca okoliczni mieszkańcy nadal spotykają się, by uczcić pamięć poległych.

Niedawno, 3 czerwca 2018 r., odszedł na wieczną wartę jeden z ostatnich żołnierzy oddziału – Tadeusz Sobieszczak „Dudek", niestrudzony strażnik narodowej pamięci. Lata płyną. Mimo to przy mogile w Leszczance co roku okoliczni mieszkańcy spotykają się w trzecią niedzielę lipca, w kolejne rocznice akcji „Burza", by uczcić pamięć poległych. Święta 22 Lipca już nie ma. Nie ma też bezpieki. Pamięć ludzka okazała się trwalsza niż „władza ludowa". ▪

[13] A. Fedorowicz „Marta", *Na dawnych szlakach...*, s. 129.

[14] *Ibidem*.

Renata Soszyńska (ur. 1969) – pedagog, zastępca dyrektora Biura Upamiętniania Walk i Męczeństwa IPN.

BIULETYN IPN
PISMO O NAJNOWSZEJ HISTORII POLSKI
NR 9 (154), wrzesień 2018

Anna Jagodzińska

Zapomniane polskie mogiły

Delegacja IPN w Dachau

W niedzielę 29 kwietnia 2018 r., w 73. rocznicę wyzwolenia przez Armię Amerykańską niemieckiego obozu koncentracyjnego Dachau, odbyły się oficjalne uroczystości upamiętniające osadzonych tam więźniów. Przy tej okazji delegacja IPN odwiedziła polskie cmentarze i groby wojenne w Bawarii.

Gaj Pamięci na cmentarzu
Am Perlacher Forst w Monachium.
Fot. Adam Siwek

Uroczystości rocznicowe zorganizowano w Miejscu Pamięci Dachau (KZ-Gedenkstätte Dachau), działającym dziś na terenie byłego obozu. Polskę reprezentowali konsul generalny RP w Monachium Andrzej Osiak, Jacek Miler z Ministerstwa Kultury i Dziedzictwa Narodowego, Magdalena Sawka z Urzędu do Spraw Kombatantów i Osób Represjonowanych. Z Biura Upamiętniania Walk i Męczeństwa Instytutu Pamięci Narodowej przybyli dyrektor Adam Siwek, Anna Jagodzińska, Anna Koszowy i Anna Wicka. Licznie uczestniczyli też w obchodach przedstawiciele Polskiej Misji Katolickiej w Monachium, polscy harcerze w mundurach galowych, uczniowie i nauczyciele z polskiej Szkoły w Monachium oraz polscy wolontariusze pracujący na terenie Miejsca Pamięci Dachau, w tym w jego archiwum.

Podczas nabożeństwa ekumenicznego w kaplicy sióstr Karmelitanek, założonej w 1964 r. obok byłego obozu, wspominano dzień wyzwolenia, ale także cierpienie i śmierć tysięcy więźniów Dachau, w którym nie było miejsca na szacunek dla zwłok. Hołd ofiarom oddano przy obozowym krematorium, znajdującym się w tzw. Bloku X (przy jego budowie w 1943 r. pracowało dwustu polskich księży). Złożono kwiaty przy pomniku z napisem „Zmarłym ku Pamięci – Żywym ku przestrodze", a następnie, przy biciu dzwonu znajdującego się na terenie KZ-Gedenkstätte Dachau w pobliżu kaplicy Śmiertelnego Lęku Chrystusa (na jej ścianie w 1972 r. polscy biskupi i inni kapłani, więźniowie KL Dachau, umieścili tablicę przypominającą, że „co trzeci z zamordowanych był Polakiem, a co drugi z polskich księży w obozie oddał swoje życie") udano się do miejsca, na którym znajdował się plac apelowy obozu.

Po uroczystych przemówieniach, w których przypomniano, czym był KL Dachau, odczytano życiorysy kilku więźniów. Beata Tomczyk, wolontariuszka KZ-Gedenkstätte Dachau, przypomniała sylwetkę bł. ks. Tadeusza Dulnego, kleryka seminarium duchownego we Włocławku, zmarłego w obozie 7 sierpnia 1942 r. Było to pierwsze od wielu lat polskie oficjalne wystąpienie, w którym podkreślono, że ginęli tu także Polacy i polscy duchowni. Złożenie wieńców pod Ścianą Pamięci Narodów zakończyło oficjalne uroczystości.

Po wyzwoleniu i dziś

Po wyzwoleniu KL Dachau baraki obozowe wykorzystywano jako tymczasowe mieszkania dla przesiedlonych Niemców, m.in. ze Śląska, Pomorza, Wielkopolski. Opuszczone w latach pięćdziesiątych, zostały zrównane z ziemią. Miejsca, w których stały, symbolizują dziś jedynie betonowe obramowania wraz z numerami bloków. Pozostawiono tylko dwa baraki, z czego jeden – z odtworzonym wyposażeniem – jest udostępniony dla zwiedzających. Pozostały także brama z cynicznym napisem „Arbeit macht frei" (Praca czyni wolnym) oraz tzw. bunkry karne. W byłym obozowym budynku gospodarczym urządzono wystawę.

KZ-Gedenkstätte Dachau istnieje od 1965 r. W latach 2002–2003 otwarto nową wystawę, ukazującą historię obozu od jego założenia w 1933 r. do wyzwolenia. To nie tylko miejsce pamięci, lecz również ważna placówka edukacji historycznej. Każdy zwiedzający ma możliwość przebycia tzw. drogi więźnia. Materialne ślady obozu, dziś obiekty muzealne – bloki, plac apelowy, krematorium, przestrzeń obozowa – przybliżają i pełniej uświadamiają grozę warunków i okoliczności, w jakich więziono tu ludzi. Dachau, poza tym, że stanowi symbol eksterminacji, jest też sanktuarium ofiar, ludzi wielu narodów i wielu religii. W tym znaczeniu jest dziedzictwem nie wąskiej grupy, lecz całej ludzkości.

Na monumentach i w centralnej części muzeum brak jednak napisów w języku polskim. W rezultacie zwiedzający nie dowiadują się, że wśród więźniów Dachau Polacy stanowili największą grupę narodowościową oraz że obóz ten był miejscem eksterminacji polskiej inteligencji i polskiego duchowieństwa w latach 1939–1945. Uważam za niezbędne zmianę wymowy informacji o obozie i o Polakach w Dachau. Podobne zdanie mają byli więźniowie oraz wielu Polaków zwiedzających to Miejsce Pamięci.

Przed wejściem na teren obozu, obok muzeum, znajduje się księgarnia, ale nie znajdziemy w niej żadnej polskiej publikacji, żadnego polskiego opracowania naukowego na ten temat ani żadnego z tak wielu wspomnień byłych polskich więźniów przetłumaczonych na język niemiecki czy angielski. Jedynie w księgarni prowadzonej przez siostry karmelitanki w klasztorze znajdującym się na terenie byłego obozu od ubiegłego roku można znaleźć w tłumaczeniu niemieckim pamiętnik *Ucisk i strapienie* kard. Adama Kozłowieckiego SJ, więźnia Dachau.

Cmentarz Waldfriedhof w Dachau; dębowy krzyż ustawiony przez ocalałych polskich więźniów, który upamiętnia zamordowanych rodaków. Fot. Adam Siwek

Polskie groby na monachijskich cmentarzach

Dzięki powołaniu i działalności Biura Upamiętniania Walk i Męczeństwa IPN stało się dziś możliwe poszukiwanie i wydobywanie z niepamięci polskich mogił na obczyźnie. Podczas kwietniowego pobytu w Bawarii, związanego ze wspomnianymi uroczystościami rocznicowymi, pracownicy biura w towarzystwie konsula Osiaka złożyli hołd polskim więźniom KL Dachau, polskim robotnikom przymusowym i żołnierzom, którzy zostali pochowani na cmentarzach gminy Dachau i miasta Monachium. Oceniono także stan opieki nad tymi miejscami, rzadko odwiedzanymi przez Polaków przyjeżdżających na uroczystości rocznicowe do Dachau.

Na wzgórzu Leitenberg[1] w Dachau pochowano 7609 zmarłych w KL Dachau, których Niemcy nie zdążyli spalić w obozowym krematorium. Z polecenia Amerykanów ciała tych ofiar miejscowi chłopi przewozili na odkrytych wozach przez ulice miasteczka Dachau, aby ludność dowiedziała się, co robili ich rodacy. Grzebano tam również tych byłych więźniów, którzy zmarli już po wyzwoleniu, wśród nich obywateli polskich. Teren ten został uporządkowany dopiero w 1972 r. Z inicjatywy Andrzeja Dalkowskiego, przez 40 lat opiekuna polskich miejsc pamięci w Bawarii, oraz Rady Ochrony Pamięci Walk i Męczeństwa w 1999 r. rząd RP wzniósł tu pomnik poświęcony Polakom zamęczonym w KL Dachau. Widnieje na nim napis w językach polskim i niemieckim – wezwanie Bronisława Najdera (nr obozowy 3121): „Uszanuj tych, co uszli z piekła łagrów cali, uczcij, zachowaj w sercu tych, co tam zostali". W uroczystościach odsłonięcia pomnika brali udział byli więźniowie, wśród nich bp Ignacy Jeż. Na cmentarnym ogrodzeniu rodziny spoczywających tam Polaków zawiesiły imienne tabliczki swoich bliskich. W 1959 r. Leitenberg został oficjalnie uznany za cmentarz ofiar KL Dachau. Groby innych 1268 więźniów, zmarłych już po 29 kwietnia 1945 r., znajdują się na cmentarzu Waldfriedhof w Dachau. Wśród tu pochowanych, w oddzielnym sektorze, znajdują się Polacy. Ku czci ich pamięci został postawiony krzyż.

Cmentarz Ostfriedhof przy St.-Martin-Straße w Monachium to m.in. miejsce spoczynku Alfreda Schütza, kompozytora pieśni żołnierskiej *Czerwone maki*

---

[1] Zob. „Biuletyn Informacyjny dla Księży Byłych Więźniów Obozu Koncentracyjnego Dachau" 1999, nr 27, s. 12–15; A. Jagodzińska, *Niezłomni – wierni Bogu i Ojczyźnie*, Łódź 2018.

Groby żołnierzy Brygady Świętokrzyskiej NSZ na cmentarzu Am Perlacher Forst w Monachium. Fot. Adam Siwek

na Monte Cassino, zmarłego w 1999 r. Znajduje się tu również działające do dzisiaj krematorium, a obok kaplicy cmentarnej stoi kamienny obelisk. Widnieje na nim informacja, że tutaj palono ciała zamordowanych przeciwników niemieckiego narodowego socjalizmu. Czy palono tu także ciała więźniów Dachau, wśród nich Polaków?

Polacy, ofiary II wojny światowej i KL Dachau, spoczywają także w oddzielnych kwaterach na starym monachijskim cmentarzu Am Perlacher Forst. Znajdują się tutaj m.in. groby żołnierzy Brygady Świętokrzyskiej Narodowych Sił Zbrojnych oraz zmarłych po wojnie polskich żołnierzy z kompanii wartowniczych przy Armii Amerykańskiej. Ich szczątki przeniesiono z cmentarza Westfriedhof na obecne miejsce spoczynku 24 października 1997 r. Trumny żołnierzy zostały przysypane ziemią przywiezioną z Polski. Miejsce to upamiętnia granitowa płyta zwieńczona orłem.

Poszukiwania i identyfikacje

Według Anny Koszowy z BUWiM, polskie cmentarze i groby wojenne w Niemczech są na ogół odpowiednio utrzymywane. Informacje o spoczywających tam ofiarach II wojny światowej, w tym naszych rodakach, ograniczają się jednak do podstawowych danych i często nie wskazują nawet na narodowość pochowanych. W tej sytuacji BUWiM przy współpracy z Archiwum IPN rozpoczęło poszukiwania nazwisk polskich więźniów przebywających w obozach koncentracyjnych, przymusowych robotników oraz ich dzieci, a także żołnierzy zamordowanych lub zmarłych na terenie Niemiec. To kwerenda żmudna, wymagająca analizy ogromnej ilości dokumentów, ale z pewnością pozwalająca na przywrócenie tożsamości wielu Polaków pochowanych na niemieckiej ziemi i na wydobycie ich z cienia niepamięci. Mamy świadomość, że groby wojenne są namacalnym znakiem mówiącym o tragicznych losach ludzi, którym odebrano nie tylko życie i nazwisko, ale również prawo do godnego pochówku. Polskie groby i cmentarze wojenne usytuowane w Niemczech, innych miejscach w Europie i na świecie są świadectwem tragicznych dla naszego kraju lat II wojny światowej. Troska, z jaką dbamy o groby polskich ofiar II wojny światowej, jest również lekcją historii dla miejscowej ludności, która dzięki tym materialnym śladom zachowa pamięć o trudnych losach naszych rodaków i będzie przekazywała tę wiedzę przyszłym pokoleniom – podkreśla Anna Koszowy.

Obok grobów polskich żołnierzy znajduje się na cmentarzu Am Perlacher Forst kwatera *displaced persons* (tzw. dipisów) z grobami osób wywiezionych do Niemiec m.in. na roboty przymusowe i do obozów, które po wojnie nie zdołały wrócić do kraju i zmarły na obczyźnie. Wśród 1,2 tys. mogił osób różnej narodowości jest 170 Polaków – mężczyzn i kobiet. Niewielkie betonowe płytki umieszczone bezpośrednio w ziemi, z wypisanymi na nich nazwiskami zmarłych, wymagają renowacji. Wielu nazwisk nie można dzisiaj odczytać. W punkcie centralnym kwatery *displaced persons* stoi pomnik.

Anna Wicka z BUWiM zajmuje się poszukiwaniem miejsc pochówku polskich robotników przymusowych z lat 1939–1945. Jak

Grób kompozytora Alfreda Schütza, autora *Czerwonych maków na Monte Cassino*, na cmentarzu Ostfriedhof w Monachium. Fot. Adam Siwek

mówi: – Na wniosek rodziny odnaleziono mogiłę Józefa Nowaka, urodzonego 19 marca 1914 r., wywiezionego do Niemiec. Archiwum IPN przeprowadziło kwerendę w bazie danych Międzynarodowej Służby Poszukiwań (ITS) w Bad Arolsen i odnalazło dokumenty dotyczące osadzenia Józefa Nowaka w więzieniu München-Stadelheim, skazania go na karę śmierci, stracenia 27 listopada 1942 r. oraz pochówku na cmentarzu Perlach w Monachium (kwatera 10-638). Odnaleziono wówczas materiały dotyczące innych Polaków, również zmarłych i zamordowanych w tym więzieniu i pochowanych m.in. na cmentarzu Perlach. Na podstawie tych dokumentów sporządzono listę nazwisk 81 ofiar i wskazano miejsce ich pochówku z podaniem numeru kwatery i grobu. Z wykazu wynika, że pochówków polskich ofiar zmarłych i zamordowanych w więzieniu Stadelheim przy ul. Stadelheimer Straße 12 oraz przy ul. Untersbergstraße 71 (na skutek nalotu alianckiego) dokonywano w kwaterach nr 10, 66 i 84. W nadesłanych przez archiwum dokumentach figuruje więcej nazwisk Polaków zmarłych lub zamordowanych podczas II wojny światowej w Monachium, jednakże miejsce ich pochówku wskazano jako nieznane.

Na cmentarzu Perlach, w centralnym punkcie, obok kwatery z prochami więźniów KL Dachau, znajduje się jeszcze jedna kwatera – nr 77, w której spoczywają szczątki straconych w więzieniu Stadelheim. Prawdopodobnie to właśnie tam są pochowane polskie ofiary poszukiwane przez BUWiM. Przy kwaterze znajdują się tablice z nazwiskami upamiętniającymi 94 ofiary zamordowane w Stadelheim w latach 1942–1945. Nazwiska są jednak podane tylko w językach czeskim i niemieckim, brak jest nazwisk w języku polskim. Obecnie w archiwum trwa korekta tych nazwisk. Po jej otrzymaniu BUWiM wystąpi do polskiego konsulatu w Monachium z prośbą o nawiązanie kontaktu z władzami miejskimi oraz podjęcie działań zmierzających do potwierdzenia, czy w kwaterze nr 77 faktycznie mogą być pochowani Polacy. W przypadku potwierdzenia BUWiM wystąpi o umieszczenie ustalonych nazwisk na tablicach.

Tajemnice Gaju Pamięci Obozu Koncentracyjnego

W części nekropolii Am Perlacher Forst zwanej Gajem Pamięci Obozu Koncentracyjnego, w urnach pod 44 bezimiennymi numerowanymi płytami, spoczywają prochy 4092 zamordowanych więźniów KL Dachau, także polskich, wśród nich duchowych. Urny oznaczone są numerem, który odnosi się do imienia i nazwiska więźnia. Opierając się na dokumentacji kancelarii cmentarza, w której znajduje się imienna lista skremowanych więźniów, na liście dostępnej w bazie ITS[2] oraz na dokumentacji Archiwum IPN ustaliłam, że w urnie nr K 3381 znajdują się prochy ks. Karola Chrapli (1905–1942), więźnia KL Dachau, numer obozowy 28341; w urnie nr K 3940 zaś – prochy bł. ks. Stanisława Kubskiego (1876–1942), więźnia KL Dachau, numer obozowy 21678[3]. Dlaczego ks. Kubski, wywieziony w tzw. transporcie inwalidów[4] do komory gazowej zamku Hartheim niedaleko Linzu w Austrii 18 maja 1942 r., jest pochowany na monachijskim cmentarzu z datą śmierci 13 czerwca 1942 r. – tego nie wiemy. W dokumentach obozowych Dachau pojawiają się w każdym razie dwie daty śmierci ks. Kubskiego[5]. Czy ciała więźniów zamordowanych w Hartheim w 1942 r. wracały do Monachium, były tam rejestrowane, ze wskazaniem na miejsce zgonu Dachau, a następnie przewożone na wspomniany cmentarz? I to dopiero w 1950 r.? Być może sporządzano listy transportów na zagazowanie w Hartheim, ale niektórych więźniów nie uśmiercano tam, lecz w tzw. samochodach śmierci i po kilkugodzinnej jeździe przewożono zwłoki do krematorium na cmentarzu Ostfriedhof? Może to właśnie tych zmarłych – między innymi – pochowano w styczniu 1950 r., z inicjatywy burmistrza Monachium, w Gaju Pamięci Obozu Koncentracyjnego?[6]

Pomnik Powstańców 1863 r. na niemieckiej ziemi

Na cmentarzu Alter Südfriedhof w Monachium, położonym przy Thalkirchner Straße, zapoznaliśmy się ze stanem mogiły-pomnika Powstańców Styczniowych

---

[2] W toku kwerendy na mój wniosek (znak: BUW-0500-52(12)/17/AJ), w bazie Międzynarodowej Służby Poszukiwań (ITS) w Bad Arolsen odnaleziono wykaz urn ofiar narodowego socjalizmu (*Verzeichnis der Urnen von Opfern des Nationalsozialismus im Friedhof Forst*). Na podstawie tej listy oraz *Liste der im Friedhof München-Perlach Forst aufbewahrten Urnen No. 9931741#1* i *Namensverzeichnis zum Sterbebuch, begonnen am 1. Juni, beendet am 31. Dezember 1942*, ITS No. 9923296#1 (0001-0166/0005@1.1.6.1) ustalam nazwiska Polaków pochowanych w urnach w Gaju Pamięci – pozostaje do ustalenia, gdzie zostali skremowani.

[3] Zob. ks. Stanisław Kubski, Urne K3940, w: IB, Copy of Doc. No. 29556864/1.

[4] ITS, Copy of Doc. No. 29556867.

[5] ITS, Copy of Doc. No. 29556864#1.

[6] ITS, Copy of Doc. No. 99311961#1. Tam cyt. : „[...] Munich, Germany, January 4th, 1950. [...], the allied Nationals were buried in the cementery *Perlacher Forst* as follows [...] Polish 123.

z 1863 r. W 1972 r., staraniem Komitetu Odbudowy Pomnika, na czele którego stanął proboszcz polskiej parafii w Monachium, ks. prałat Paweł Kajka, były więzień KL Dachau (numer obozowy 30284), pomnik wykonany z czarnego szwedzkiego granitu pieczołowicie odnowiono. Jest na nim wyrytych 36 nazwisk uczestników powstania, chociaż grób kryje prochy tylko ośmiu powstańców. Napis na pomniku brzmi: „Pamięci Powstańców z 1863 r. Wdzięczna Ojczyzna" i jest głębokim hołdem dla uczestników walk o niepodległość. Miejscem tym opiekuje się Genowefa Białkowska, nauczycielka ze Szkoły Przedmiotów Ojczystych im. Jana Pawła II przy polskiej parafii w Monachium. „Wyjście naszych uczniów na cmentarz, uporządkowanie mogiły, złożenie wieńca, odmówiona wspólnie modlitwa to żywa i niezwykła lekcja historii, podczas której kształtowana jest polska tożsamość narodowa" – tłumaczy[7].

Grób ośmiu weteranów Powstania Styczniowego na cmentarzu Alter Südfriedhof w Monachium. Fot. Adam Siwek

[7] G. Białkowska, *Relacja*, „Gazetka Szkoły Przedmiotów Ojczystych im. Jana Pawła II przy Polskiej Parafii Katolickiej w Monachium" 2017, nr 27.

Dyrektor Siwek oraz konsul Osiak omówili możliwości współpracy w kwestii poszukiwań i renowacji wspomnianych tu miejsc pochówku Polaków z okresu 1939–1945. Zacytujmy wypowiedź dyr. Siwka: „Opieka nad polskimi miejscami pamięci poza granicami kraju, a w szczególności nad polskimi grobami wojennymi, jest misją i zobowiązaniem o szczególnym charakterze. Po zmianach ustrojowych i upadku bloku komunistycznego na początku lat dziewięćdziesiątych uwaga i zaangażowanie zarówno organizacji społecznych, jak i kompetentnych instytucji państwowych zostały skierowane na wschód. Było to zjawisko oczywiste, gdyż tam doszło do największych zniszczeń materialnej substancji polskiego dziedzictwa historycznego, tam zaniedbania trwały najdłużej. Niestety przeoczono moment, w którym należało zrównoważyć te działania i odpowiednią aktywność wykazywać także na kierunku zachodnim. Uśpiona została czujność polskich instytucji, czego efektem stało się stopniowe rozmywanie śladów po Polakach w anonimowej masie ofiar nazizmu pozbawionych przynależności państwowej, nazwisk, wyznania. Wszystko w imię doktryny głoszącej, że cierpienie jest uniwersalne i nie ma narodowości. A przecież Polacy, tak jak Żydzi, Romowie, Rosjanie, Białorusini i inne grupy ofiar, ginęli właśnie z powodu swojej narodowości. Cóż z tego, że miejsca martyrologii, poczynając od muzeów na terenie wielkich obozów koncentracyjnych, a kończąc na mogiłach robotników przymusowych na lokalnych cmentarzach – są zadbane i starannie pielęgnowane, skoro nikt tam nie trafi, bo nie ma informacji, kto tam spoczywa. Cennymi sojusznikami w tej swoistej reidentyfikacji ofiar są pracownicy naszych placówek konsularnych i działacze organizacji polonijnych. Niejednokrotnie dzięki ich pomocy pozyskiwaliśmy listy imienne pochowanych, przechowywane w kancelarii cmentarza, na którym znajduje się całkowicie anonimowa mogiła ofiar niemieckich zbrodni. Popularyzacja wiedzy o polskich miejscach pamięci na terenie Niemiec jest istotna w dobie swobodnego i masowego podróżowania naszych rodaków po Europie. Polacy w czasie podróży, czy to służbowych, czy turystycznych, często mijają o krok ślady polskiej historii, nie tylko tej związanej z II wojną światową, lecz – jak pokazuje przykład mogiły powstańczej na Alter Südfriedhof – także z wieku XIX. Musimy pokazać niemieckim gospodarzom tych miejsc, że zarówno Polacy indywidualnie, jak i instytucje państwa polskiego są żywo zainteresowani właściwym utrzymaniem i oznaczeniem polskich miejsc pamięci, a także uzupełnianiem i popularyzacją ich ewidencji, czego efektem z pewnością będzie zwiększona liczba odwiedzin".

Wyzwolenie KL Dachau

Polski pomnik na wzgórzu Leitenberg, gdzie znajdują się mogiły ofiar KL Dachau. Fot. Adam Siwek

W niedzielę 29 kwietnia 1945 r., gdy do obozu dotarł niewielki oddział amerykańskich żołnierzy gen. George'a Pattona, wyzwolenia doczekało ok. 33 tys. ludzi uwięzionych za drutami. Było wśród nich 10 tys. Polaków (z ok. 48 tys. więzionych od 1939 r.), w tym 909 polskich księży i kleryków (zginęło 868). Tylko nieliczni więźniowie wiedzieli, że 14 kwietnia 1945 r. szef SS Heinrich Himmler wydał rozkaz zniszczenia obozów Buchenwald i Dachau: „Kein Häftling darf lebendig in die Hände des Feindes kommen" (żaden więzień nie może dostać się żywy w ręce nieprzyjaciela). Na zniszczenie obozu Dachau wyznaczono godzinę 21.00 w niedzielę 29 kwietnia. Więźniowie mieli zostać wymordowani, a obóz – spalony, by nie było świadków ani świadectw tego, co się tam działo.

Wkrótce po wyzwoleniu Amerykanie przy pomocy więźniów, a przede wszystkim polskich księży zorganizowali pomoc medyczną dla setek chorych. W pobliżu obozu, w barakach zamieszkiwanych wcześniej przez esesmanów, utworzono szpital. Ze względu na panujący tyfus wprowadzono przymusową kwarantannę i zakaz opuszczania obozu.

W momencie wyzwolenia więźniowie obozów koncentracyjnych, m.in. Polacy, stali się *displaced persons* i do czasu repatriacji przewożono ich do różnych ośrodków

Pracownicy BUWiM składają wieniec od IPN pod pomnikiem na placu apelowym. Fot. Michał Żółtek

zakwaterowania w Niemczech. Większość Polaków (ok. 5 tys., w tym 122 księży) umieszczono w koszarach SS we Freimann na przedmieściach Monachium[8].

W obozie przejściowym Etzel-Kolonia umieszczono ok. 3 tys. Polaków – więźniów obozów koncentracyjnych, a także robotników przymusowych. Na cmentarzu Westfriedhof przy Venloer Straße w Kolonii stoi pomnik w kształcie krzyża ufundowany wkrótce po wojnie przez Polaków, m.in. byłych więźniów Dachau, poświęcony pięćdziesięciu polskim żołnierzom września 1939 r. – jeńcom wojennym, którzy zmarli w pobliskim obozie jenieckim. Na pomniku wypisano ich nazwiska, a poświęcił go ks. Leon Stępniak, były więzień Dachau, kapelan „mieszkańców" obozu Etzel-Kolonia[9].

W miarę upływu czasu ośrodki polskie w Niemczech pustoszały. Jedni Polacy wracali do kraju, część została w Niemczech, część przeniosła się do Francji,

[8] T. Musiał, *Dachau 1933–1945*, Katowice 1968, s. 231.

[9] Zdjęcia ks. L. Stępniaka znajdują się w zbiorach autorki. Na zdjęciach udokumentowano uroczystość z odsłonięcia pomnika-krzyża poświęconego polskim żołnierzom – jeńcom z września 1939 r.

Adam Siwek: »Można usłyszeć, że cierpienie jest uniwersalne i nie ma narodowości. A przecież Polacy, tak jak Żydzi, Romowie, Rosjanie, Białorusini i inne grupy ofiar, ginęli właśnie z powodu swojej narodowości«.

Wielkiej Brytanii, Włoch lub Stanów Zjednoczonych. Wielu księży zakonników wyjechało do swoich domów zakonnych na terenie Europy. Do Indii wyjechał o. Marian Żelazek; do końca życia pracował jako misjonarz wśród trędowatych. Jezuita Adam Kozłowiecki wyjechał do polskiej misji w Rodezji w Afryce. Mieczysław Grabiński, dyplomata, były konsul RP w Monachium[10], wyjechał do Londynu, gdzie czynnie włączył się w nurt polskiego życia narodowego i społecznego.

Po powrocie do Polski w 1946 r. ks. Ludwik Bujacz, kapłan diecezji łódzkiej doświadczony wojną i pobytem w niemieckim obozie koncentracyjnym, przekazał przesłanie do rodaków, jakże aktualne dzisiaj: „Polacy powinni sobie uświadomić, że muszą stworzyć silną jedność, zgodę i harmonię, a wtedy będą silni i zdolni zawsze przeciwstawić się zakusom wroga. Siły swoje należy poświęcić do budowy silnego państwa. Trzeba szukać nie tylko dobra osobistego, ale i dobra całego narodu, bo tylko wtedy będziemy zdolni do samodzielnego istnienia i tworzenia dobrobytu materialnego i duchowego, na których oprze się bogactwo i potęga naszej Ojczyzny. [...] Polska nie jest własnością żadnego z nas, należy ona do wszystkich pokoleń polskich, które żyły, budowały i broniły naszą Ojczyznę. Należy ona do pokolenia obecnego i będzie należeć do przyszłych pokoleń, jakie żyć będą na naszej prastarej ziemi". ▪

[10] Zob. M. Grabiński, *Dyplomacja w Dachau...*, Monachium 1946.

Anna Jagodzińska (ur. 1951) – historyk, dr, pracownik Biura Upamiętniania Walk i Męczeństwa IPN. Autorka książek: *Byłem tylko numerem 11424 i 22036. Ksiądz kanonik Leon Stępniak – więzień Dachau i Gusen 1940–1945* (2009); *Oni tam byli. Pielgrzymi z Kościana – świadkowie zamachu na Papieża Jana Pawła II, na placu św. Piotra w Rzymie, 13 maja 1981 r.* (2014). Od 2009 r. realizuje w IPN projekt naukowo-badawczy „Eksterminacja polskiej inteligencji i duchowieństwa w niemieckich obozach koncentracyjnych Dachau i Mauthausen-Gusen".

BIULETYN IPN
PISMO O NAJNOWSZEJ HISTORII POLSKI
NR 9 (154), wrzesień 2018

Piotr Kędziora-Babiński

Ekshumacje żołnierzy i policjantów poległych w 1939 roku

Jedno z podstawowych zadań realizowanych przez Biuro Upamiętniania Walk i Męczeństwa IPN to poszukiwanie, ekshumacja i przenoszenie szczątków ludzkich z mogił wojennych w godne miejsca. Najczęściej są to lokalne cmentarze. Chcemy przyjrzeć się niektórym ekshumacjom związanym z wojennymi pochówkami z września 1939 r.

Wólka. Fot. Xxxxxxxxxxx

Informacje o miejscach, w których znajdują się wojenne mogiły spływają do BUWiM IPN z kilku źródeł. Przede wszystkim zwracają się do nas osoby, które pamiętają ostatnią wojnę lub mają wiadomości z drugiej ręki. Czasami takie informacje pozyskujemy z akt prokuratorskich lub innych dokumentów źródłowych. Zgłaszają się do nas jednostki samorządu terytorialnego, prosząc o zbadanie takich miejsc. Wniosek o przeprowadzenie ekshumacji składa do nas zazwyczaj gmina lub wojewoda. Zdarza się, że przekazuje go nam lokalne stowarzyszenie; szczególnie aktywne na tym polu są te z województwa podlaskiego. Często piszą też do nas posłowie i senatorowie, którzy otrzymują prośby o pomoc w zorganizowaniu przeniesienia mogiły wojennej na cmentarz. Współpracujemy z ambasadą rosyjską w kwestiach związanych z ekshumacją oraz pochówkiem żołnierzy rosyjskich i sowieckich. Prace są wykonywane przez firmy zewnętrzne pod nadzorem pracowników Biura Upamiętniania Walk i Męczeństwa IPN.

Ekshumowane są – bez względu na narodowość ofiar – szczątki ludzkie z okresu I i II wojny światowej (żołnierzy oraz osób cywilnych), a także z powstań Styczniowego i Listopadowego czy wojen napoleońskich. Szczątki żołnierzy i cywilów narodowości niemieckiej lub żołnierzy formacji niemieckich ekshumuje na ogół Fundacja „Pamięć", związana z Niemieckim Związkiem Ludowym Opieki nad Grobami Wojennymi (Volksbund Deutsche Kriegsgräberfürsorge e. V.).

Oczywiście najwięcej ekshumowanych szczątków pochodzi z pochówków z okresu II wojny światowej, w tym z września 1939 r.

Chojnice

Jednym z największych projektów ekshumacyjnych realizowanych od chwili powstania BUWiM są poszukiwania zbiorowej mogiły żołnierzy polskich poległych 1 września 1939 r. w obronie Chojnic. Sprawę tę zgłosił poseł Aleksander Mrówczyński. Zaangażował się w nią Urząd Miejski w Chojnicach, zwłaszcza tamtejsza konserwator zabytków.

Według relacji świadka, ciała żołnierzy miały zostać złożone przy murze cmentarnym od strony ul. Kościerskiej, skąd miano je zabrać i pochować w bliżej nieokreślonych okolicach muru cmentarza katolickiego – w dwóch dołach długich na 12 m i szerokich na 2 m. Grobów może być więcej, gdyż nieznane jest miejsce pochówku szczątków pięciu żołnierzy I batalionu strzelców, a także ponad dwustu żołnierzy Batalionu Obrony Narodowej „Czersk" oraz żołnierzy 18. Pułku Ułanów Pomorskich poległych pod Krojantami.

Pierwsze badania przeprowadzone w lipcu 2017 r. pomogły stwierdzić, że granice dawnego cmentarza ewangelickiego zostały przesunięte w kierunku północnym. Natrafiono tam tylko na pojedyncze szczątki osób cywilnych, których po przebadaniu nie ekshumowano. Pochówków wojskowych nie znaleziono. Fundacja „Pamięć", która w 2007 r. prowadziła w tym miejscu prace ekshumacyjne żołnierzy niemieckich z okresu II wojny światowej, także nie natrafiła na ślady pochówku polskich żołnierzy.

23 kwietnia 2018 r. podjęliśmy próbę zlokalizowania mogiły żołnierzy za pomocą odwiertów. Zbadaliśmy pozostałe dostępne granice cmentarza, czyli od strony wschodniej i zachodniej. Ponieważ od strony południowej graniczy on z drogą asfaltową, odwierty w tym miejscu nie były możliwe. Nie znaleźliśmy śladów jakichkolwiek wkopów. Sprawdziliśmy ponadto pochówki wewnątrz cmentarza przy jego murach. Stwierdziliśmy, że są tam groby z lat trzydziestych, czterdziestych i pięćdziesiątych, co raczej wyklucza zlokalizowanie w tych miejscach masowego pochówku.

Dalsze prace ekshumacyjne zaplanowaliśmy na rok 2019. Przebadamy wówczas jeszcze jedno miejsce przy murze dawnego cmentarza ewangelickiego oraz dwa miejsca na terenie miasta wskazane nam przez osoby trzecie.

Niektórzy świadkowie mówią o możliwym ekshumowaniu i wywiezieniu szczątków w czasie budowy hotelu „Olimp" lub przez grabarzy, szykujących miejsca pod nowe pochówki.

Artefakty z Markowszczyzny.
Fot. ze zbiorów autora

Wólka Poturzyńska

Z kolei do lubelskiego oddziału IPN zgłosiła się osoba, która twierdziła, że na rozstaju dróg k. Wólki Poturzyńskiej w powiecie hrubieszowskim znajduje się grób trzech polskich policjantów zamordowanych przez czerwonoarmistów we wrześniu lub październiku 1939 r. Jako możliwą lokalizację wskazano dwa miejsca w lesie za znajdującą się tam kapliczką św. Antoniego: krzyż przy trzech sosnach oraz ogrodzoną mogiłę z pomnikiem. Według lokalnych przekazów, miały tam zostać pochowane także inne osoby, m.in. dziecko.

W wyniku prac ekshumacyjnych udało się odkryć jamę grobową w środku mogiły z pomnikiem, a w niej szczątki co najmniej dwóch mężczyzn (część szczątków została ekshumowana wcześniej). Mieli oni około trzydziestu lat, a wśród artefaktów znaleziono fragmenty granatowych mundurów, otoków czapek, guzików z orłem w koronie z 1937 i 1938 r. oraz dwa pagony – jeden z oznaczeniem stopnia policyjnego (starszy posterunkowy), drugi z oznaczeniem okręgu policyjnego III (czyli z okolic Kielc).

Szczątki policjantów zostały pochowane na cmentarzu hallerczyków w Dołhobyczowie w powiecie hrubieszowskim. Artefakty – po konserwacji – zostaną przekazane do Muzeum im. ks. Stanisława Staszica w Hrubieszowie i Muzeum Policji w Warszawie.

Markowszczyzna w gminie Turośń Kościelna

Do wójta gminy Turośń Kościelna zgłosiła się osoba, która podała lokalizację mogiły polskiego żołnierza z września 1939 r. Wójt przekazał sprawę do białostockiego oddziału IPN, a ten z kolei zwrócił się do BUWiM.

Mężczyzna miał zostać pochowany w lesie w mogile oznaczonej krzyżem. Według informacji przekazanych przez mieszkańców wsi, żołnierz miał się powiesić na wieść o wkroczeniu na tereny Rzeczypospolitej armii sowieckiej. Po zdjęciu ciała z drzewa jego dowódca zabrał nieśmiertelnik i miał wykrzyczeć: „Co ty, głupku, zrobiłeś, przecież mogłeś jeszcze Niemców zabijać", policzkując zwłoki. Po pochówku ktoś rozkopał grób i zabrał żołnierzowi buty.

Na wniosek wójta przeprowadziliśmy ekshumację. Po zdjęciu wierzchniej warstwy ziemi, na głębokości ok. 40 cm ukazała się jama grobowa o wymiarach 160 na 50 cm, a w niej szczątki ludzkie. Szkielet był kompletny. Żołnierz miał ok. 25 lat, zwyrodnienie kręgosłupa i nieleczone zęby. Nie znaleziono przy nim przedmiotów umożliwiających natychmiastową identyfikację. Znaleziono jednak guziki wojskowe wz. 1928, haftki, guziki od naramienników, saperkę, dwa niezbędniki, pasek u szyi, dwie ładownice trzykomorowe, koalicyjkę, plastikowe guziki bieliźniane i opatrunek osobisty z widocznym czerwonym krzyżem. Wszystkie przedmioty zostały złożone do trumny i wraz ze szczątkami przekazane do identyfikacji do Biura Poszukiwań i Identyfikacji IPN.

Jastrzębie-Zdrój

W południowej części Jastrzębia-Zdroju, na mogile w lesie Biadoszek, zachował się krzyż. W 2017 r. do Oddziału IPN w Katowicach wpłynęło pismo stowarzyszenia Jednostka Strzelecka nr 1325 Jastrzębie im. Rotmistrza Pileckiego z prośbą o sprawdzenie stanu faktycznego mogiły. Była ona pielęgnowana przez lokalne środowiska. Nie wiedziano jednak, czyje szczątki się w niej znajdują. Na domniemanym grobie znajdował się napis: „Dwóch nieznanych żołnierzy Wojska P., którzy zginęli za Polskę w 1939 r.". We wrześniu 1939 r. polscy żołnierze z 3. szwadronu Pułku Ułanów Śląskich walczyli jednak kilka kilometrów dalej i dlatego historycy uważali, że grób może być pusty lub że mogą się w nim znajdować żołnierze innych narodowości polegli w 1945 r.

Prezydent miasta wystąpiła z wnioskiem o ekshumację. Do prac przystąpiono 18 maja b.r. Okazało się, że nie było tam żadnych szczątków. Zlikwidowaliśmy więc to upamiętnienie.

Mogiła w lesie k. Jastrzębia-Zdroju.
Fot. ze zbiorów autora

Las Aleksandrowski/Rzechowski

W wyniku prac w kilku miejscach na terenie gmin Brody, Iłża i Rzeczniów w lipcu 2018 r. udało się znaleźć szczątki ok. 140 żołnierzy poległych 9 września 1939 r. w trakcie bitwy pod Iłżą. Prośba o przeniesienie szczątków wpłynęła do nas za pośrednictwem posła Marka Suskiego, a w sprawę są mocno zaangażowane Stowarzyszenie Rekonstrukcji Historycznej 51. Pułku Piechoty Strzelców Kresowych, Iłżeckie Towarzystwo Historyczno-Naukowe, wójt gminy Rzeczniów oraz proboszcz parafii św. Mikołaja w Grabowcu.

Zgrupowanie Południowe Armii „Prusy" pod dowództwem gen. Stanisława Skwarczyńskiego (w którego skład wchodziły: 3. Dywizja Piechoty Legionów, 12. Dywizja Piechoty i 36. Dywizja Piechoty Rezerwowej) podjęło w tym miejscu 8 i 9 września próbę przebicia się w kierunku mostów na Wiśle. Akcja zakończyła się jednak klęską. Przyjmuje się, że pod Iłżą poległo ok. 500–600 żołnierzy z 12. Dywizji Piechoty; znane jest miejsce pochówku około 300. Straty pozostałych jednostek są trudne do oszacowania.

Wśród poległych znaleźli się m.in. mjr Roman Gutowski, dowódca 3. batalionu 54. Pułku Piechoty Strzelców Kresowych, kpt. Michał Trondowski, kpt. Adam Królikowski i ks. Antoni Czwaczka z 52. Pułku Piechoty Strzelców Kresowych. Polegli żołnierze zostali pochowani w mogile zbiorowej w Lesie Aleksandrowskim, na cmentarzu parafialnym w Grabowcu oraz w mauzoleum poległych w II wojnie światowej w Iłży.

Mimo przeprowadzonych ekshumacji – zarówno niemieckich w 1941 r. jak i polskich w 1948 i 1969 r. – na tym obszarze wciąż znajdują się mogiły tymczasowe. BUWiM IPN kontynuuje więc prace, m.in. na terenie gmin Brody, Iłża i Rzeczniów. Wszystkie szczątki odnalezione w bieżącym roku zostaną pochowane 8 września na cmentarzu w Grabowcu.

Według informacji zawartych w dokumentach PCK, po bitwie miało zostać pochowanych 139 żołnierzy z 3. i 12. DP. Część z nich została ekshumowana w 1948 r. i spoczęła na cmentarzu w Grabowcu. Z relacji ustnych wiadomo, że szczątki były przekładane widłami zarówno w 1939 r., jak i w 1948 r. i były w bardzo złym stanie. Miejscowa ludność miała w roku 1948 zabrać do ponownego użytku część artefaktów, m.in. hełmy oraz buty. Stwierdziliśmy duże rozczłonkowanie szczątków, co mogło zostać spowodowane zarówno sposobem pochówku podczas pierwszej ekshumacji, jak i ostrzałem artyleryjskim w czasie bitwy. Znaleźliśmy też wiele artefaktów: hełmy, buty, ładownice, pasy, menażki, scyzoryki, szczoteczki do zębów, maszynkę do golenia, maskę przeciwgazową, miniaturową książeczkę, monety, portmonetkę tzw. podkówkę, fragmenty umundurowania, ostrogi, guziki, bagnety, medalik ze zdjęciem, krzyżyki, orzełka z czapki polowej oraz, co najważniejsze, nieśmiertelniki – zarówno całe, jak i przełamane.

Wiele spośród tych artefaktów znaleźliśmy podczas uzupełniających prac w mogile na cmentarzu w Grabowcu, gdzie w 1948 r. złożono część szczątków.

Nasze prace miały na celu sprawdzenie, ile osób zostało tam pochowanych i czy w tej jednej mogile uda się pochować wszystkie znalezione szczątki.

Znaleźliśmy nieśmiertelniki następujących żołnierzy: Marcina Barylskiego, Józefa Morozińskiego, Józefa Kozłowskiego (ur. w 1917 r., zmobilizowany w Brzeżanach), Józefa Galińskiego, Kierniewa, Leona Szymkowa (zmobilizowany w Brzeżanach), Michała Diakowicza, Chamzy Hrynki.

Wcześniej, w latach dziewięćdziesiątych, znaleziono nieśmiertelniki: Tadeusza Barylskiego (katolik, ur. w 1917 r., zmobilizowany w Tarnopolu), Leona Szwca (grekokatolik, ur. w 1917 r., zmobilizowany w Tarnopolu), Leona Żornaka (ur. w 1917 r., zmobilizowany w Jarosławiu).

W 1948 r. znaleziono nieśmiertelniki następujących żołnierzy: Michała Buczyńskiego, Jana Chruszcza (ur. w 1907 r., 54. pp), Jana Dusa (ur. w 1910 r.), Józefa Krupy (ur. w 1910 r., 54. pp).

Z dokumentów PCK znamy nazwiska następujących żołnierzy: Stanisława Gąsowskiego (ur. w 1915 r., zmobilizowany w Hrubieszowie), Józefa Psutki (ur. w 1914 r., zmobilizowany w Złoczowie), Ignacego Mihlewicza, strz. Jana Olewskiego/Osowskiego (ur. w 1913 r.), Mariana Iwaniuka (ur. w 1912 r., zmobilizowany w Brzeżanach), st. strz. Stanisława Moskwy (51. pp).

Zmobilizowani w Brzeżanach służyli prawdopodobnie w 51. pp, w Hrubieszowie – w 3. DP, w Złoczowie – w 52. pp, a w Tarnopolu – w 54. pp.

Te ustalenia są o tyle ważne, że dotychczas wszyscy żołnierze pochowani na cmentarzu w Grabowcu byli anonimowi. Część z nich miała swoje symboliczne pochówki na cmentarzu-mauzoleum w Iłży.

Według uzyskanych relacji, około siedemdziesięciu nieśmiertelników znalezionych w czasie ekshumacji w 1948 r. zostało położonych przez sołtysa w okolicy płyty pamiątkowej w Lesie Aleksandrowskim. Niestety – nieśmiertelniki te zaginęły. Natomiast w dokumentacji PCK z Kielc i Starachowic znajduje się informacja, że 117 połówek nieśmiertelników zabrali niemieccy oficerowie w celu przekazania ich do Niemieckiego Czerwonego Krzyża. ▪

BIBLIOGRAFIA

Akta spraw prowadzonych przez BUWiM IPN.

Marczyk-Chojnacka B., Sprawozdanie z „Przeprowadzenia ekshumacji żołnierzy Wojska Polskiego poległych w 1939 w Chojnicach", Kraków 2017, mps.

Marczyk-Chojnacka B., Sprawozdanie z „Przeprowadzenia ekshumacji żołnierzy Wojska Polskiego poległych w 1939 w Chojnicach. Etap I – poszukiwanie mogiły za pomocą odwiertów świdrem ręcznym", Kraków 2018, mps.

Zarzycki P., *Iłża 1939*, Warszawa 2013.

Piotr Kędziora-Babiński (ur. 1982) – pracownik Biura Upamiętniania Walk i Męczeństwa IPN.

Orzeł strzegący polskich grobów na Polskim Cmentarzu Wojennym w Casamassimie.

Adam Siwek

Nie tylko Monte Cassino

Polskie miejsca pamięci we Włoszech

Wybierając się na urlop do Włoch, warto odwiedzić polskie miejsca pamięci. Proponuję trasę z południa na północ Półwyspu Apenińskiego – drogę, którą przebył 2. Korpus Polski. Tu przedstawiam – w kolejności alfabetycznej – mój subiektywny wybór miejsc.

Ankona – region Marche

Porta Santo Stefano – upamiętnienie wyzwolenia miasta przez 2. Korpus Polski

2. Korpus Polski podszedł pod Ankonę w trakcie działań pościgowych prowadzonych wzdłuż Adriatyku od połowy czerwca do połowy lipca 1944 r. Dzięki manewrowi oskrzydlającemu 5. Kresowej Dywizji Piechoty, po dwudniowych walkach, 18 lipca 1944 r., do miasta wkroczyli żołnierze 3. Pułku Ułanów Karpackich i 2. Batalionu Strzelców Karpackich. Przełamanie niemieckich pozycji nastąpiło na osi dziewiętnastowiecznej bramy fortecznej Porta Santo Stefano, która obecnie jest miejscem upamiętniającym zwycięstwo polskich żołnierzy. Polegli w walkach w rejonie Ankony spoczywają na polskim cmentarzu wojennym w Loreto. Po wyzwoleniu Ankony ulica prowadząca od bramy św. Stefana otrzymała nazwę Pułku Ułanów Karpackich. Obecnie jest to plac 2. Korpusu Polskiego. Na zewnętrznej stronie bramy zawieszono tablicę upamiętniającą wkroczenie Polaków do miasta.

Tablica upamiętniająca wejście do Ankony oddziałów 2. Korpusu Polskiego 18 lipca 1944 r.

Krzyż z gąsienic transportera opancerzonego wieńczący pomnik polskich żołnierzy w Acquafondacie.

Acquafondata – region Lacjum, prowincja Frosinone

Pomnik w miejscu cmentarza polowego 2. Korpusu Polskiego

W czasie walk o masyw Monte Cassino zaopatrzenie dla 2. Korpusu Polskiego było dostarczane z 401. Polowego Ośrodka Zaopatrywania w Venafro dwoma głównymi szlakami komunikacyjnymi. Droga północna, zwana czerwonym szlakiem, biegła przez miejscowość Acquafondata, gdzie założono jeden z dwóch polowych cmentarzy polskich żołnierzy – głównie z 5. Kresowej Dywizji Piechoty i 4. Pułku Pancernego „Skorpion". Pochowano tam m.in. por. Stefana Bortnowskiego, dowódcę 1. szwadronu czołgów pułku „Skorpion". Na jego grobie ustawiono krzyż z gąsienic, prawdopodobnie pochodzących z transportera opancerzonego Universal Carrier, ozdobiony wizerunkiem orderu wojennego Virtuti Militari. Po ekshumacji poległych i przeniesieniu ich szczątków w 1945 r. na stały Polski Cmentarz Wojenny na Monte Cassino, krzyż z grobu por. Bortnowskiego – już bez odznaczenia, ale z pasyjką – ustawiono w Acquafondacie na rozstaju dróg zwanym Miglio (mila). Dzięki inicjatywie Mieczysława Rasieja, prezesa Ogniska Polskiego w Turynie, oraz Romano Neriego, pochodzącego z Acquafondaty, 18 maja 1996 r. odsłonięto pomnik, w którym wykorzystano historyczny krzyż. Projektantem był architekt Pietro Rogacień, syn żołnierza 2. Korpusu Polskiego. Na cokole z białego marmuru umieszczono dwujęzyczny napis upamiętniający poległych i tu pierwotnie pochowanych polskich żołnierzy.

Polski Cmentarz Wojenny w Bolonii; spoczywa na nim 1432 polskich żołnierzy.

Bolonia – region Emilia-Romania

Polski Cmentarz Wojenny

Położony w dzielnicy San Lazzaro di Savena – niegdyś miejscowości pod Bolonią – jest największym z czterech cmentarzy 2. Korpusu Polskiego we Włoszech. Spoczywają tu żołnierze polscy polegli w walkach na Linii Gotów, w Apeninie Emiliańskim i w bitwie o Bolonię. Działania, których efektem było zajęcie Bolonii, rozpoczęły się jeszcze jesienią 1944 r. Jednostki 2. Korpusu Polskiego prowadziły natarcie w ogólnym kierunku na Bolonię wzdłuż starożytnej drogi Via Emilia. Walki toczono w bardzo niekorzystnych warunkach terenowych i klimatycznych. Liczne górskie rzeki i strumienie płynęły prostopadle do kierunku natarcia, spowalniając postępy wojsk alianckich. Ostatecznie w połowie grudnia 1944 r. wstrzymano działania na sezon zimowy, przechodząc do obrony na linii rzeki Senio. Natarcie na Bolonię ponownie ruszyło w kwietniu 1945 r. Decyzją gen. Richarda McCreery'ego, dowódcy 8. Armii, 2. Korpus Polski został wzmocniony przez jednostki brytyjskie. Zasadniczy manewr oskrzydlający i działania pościgowe prowadziło zgrupowanie „RAK", dowodzone przez gen. Bronisława Rakowskiego. Jednak to operujące na kierunku pomocniczym zgrupowanie „RUD" świeżo awansowanego (1 kwietnia) na pierwszy stopień generalski Klemensa Rudnickiego osiągnęło rogatki Bolonii. 21 kwietnia o 6.00 rano do centrum miasta wkroczyli żołnierze 9. Batalionu Strzelców Karpackich mjr. Józefa Różańskiego, zdobywając dla swojej jednostki zaszczytne imię „Boloński". Poległych w czasie walk od jesieni 1944 do wiosny 1945 r. pochowano na nowo wybudowanym polskim cmentarzu wojennym w San Lazzaro di Savena. Nekropolię zaprojektował ppor. inż. arch. Zygmunt Majerski, detale rzeźbiarskie wykonał architekt i rzeźbiarz Michał Paszyn. Prace budowlane realizowali żołnierze 10. Batalionu Saperów i miejscowi kamieniarze pod nadzorem inż. Romana Wajdy. Poświęcenie cmentarza podczas Mszy św. celebrowanej przez biskupa polowego Józefa Gawlinę odbyło się 12 października 1946 r. Spoczywa tu 1432 polskich żołnierzy, w tej liczbie 14 zmarłych w latach 1947–1957.

Tablica na Porta di Strada Maggiore

Na trzynastowiecznej bramie miejskiej w 35. rocznicę wyzwolenia miasta władze Bolonii umieściły tablicę pamiątkową poświęconą żołnierzom 2. Korpusu Polskiego, którzy tędy właśnie wczesnym rankiem 21 kwietnia 1945 r. wkraczali do miasta.

Brindisi – Campo Casale – region Apulia

Tablice pamiątkowe polskich i alianckich lotników oraz cichociemnych

W bazie lotniczej Campo Casale w Brindisi z inicjatywy Włoskich Sił Powietrznych odsłonięto 25 listopada 2014 r. tablicę pamiątkową poświęconą lotnikom polskim oraz alianckim, którzy od grudnia 1943 r., startując z tego lotniska, nieśli pomoc Armii Krajowej, walczącej w okupowanej Polsce. W sposób szczególny tablica upamiętnia stacjonujących tu do marca 1945 r. lotników polskiej 1586. Eskadry Specjalnego Przeznaczenia, przekształconej później w 301. Dywizjon Bombowy Ziemi Pomorskiej „Obrońców Warszawy". Od 4 sierpnia do 14 września 1944 r. eskadra wykonała 97 lotów ze zrzutami dla walczącej Warszawy, tracąc 16 zestrzelonych samolotów i 112 poległych lotników. Zaledwie dwie załogi bohaterskiego dywizjonu przeżyły tamten czas. Oprócz Polaków zostali uhonorowani także lotnicy brytyjskich dywizjonów 148. i 178. oraz południowoafrykańskiego Dywizjonu 31. W sąsiedztwie upamiętnienia lotników 24 listopada 2016 r. odsłonięto tablicę poświęconą również cichociemnym, którzy od 15 kwietnia 1944 r.

Brindisi – tablica poświęcona cichociemnym oraz polskim i alianckim lotnikom.

byli przerzucani do okupowanej Polski właśnie z Campo Casale. Z bazy w Brindisi wyleciał do Polski jako cichociemny gen. Leopold Okulicki, ostatni komendant główny Armii Krajowej.

Casamassima – region Apulia, prowincja Bari

Polski Cmentarz Wojenny

Położony najdalej na południe, najmniejszy z czterech cmentarzy wojennych 2. Korpusu Polskiego we Włoszech. Powstał wiosną 1944 r. jako pierwszy stały cmentarz, a jego geneza wiąże się z utworzeniem w Casamassimie polskiego Szpitala Wojennego nr 1, przemianowanego następnie na 5. Szpital Wojenny, który stał się największą bazą sanitarną 2. Korpusu Polskiego. Liczba spoczywających tu żołnierzy polskich waha się, zależnie od źródła, od 427 do 431. Są to polegli w walkach na Linii Gustawa nad rzeką Sangro, zmarli w szpitalu wojskowym w Casamassimie oraz szpitalach Bari i Neapolu, w wyniku ran odniesionych pod Monte Cassino i w kampanii adriatyckiej, lotnicy 1586. Eskadry do Zadań Specjalnych z Brindisi

Polski Cmentarz Wojenny w Casamassimie.

oraz żołnierze zmarli w tym rejonie po zakończeniu walk we Włoszech. Cmentarz, założony na planie prostokąta otoczonego wysokim murem, ma charakter włoskiego *campo santo*. W odróżnieniu od pozostałych trzech polskich cmentarzy wojennych wzniesionych z trawertynu, ten został zbudowany z dominującej w regionie tufy. Kierownikiem prac był włoski mistrz murarski Fedele Camardella. Brama, zdobiona metalowymi odlewami syrenek warszawskich, jest zwieńczona inskrypcją – cytatem z drugiego listu św. Pawła do Tymoteusza: „Bonum certamen certavi fidem conservavi – ideo reposita est mihi corona iustitiae" (Dobry bój stoczyłem, wiarę zachowałem, a teraz oczekuje mnie wieniec sprawiedliwości). W centrum założenia znajduje się ołtarz z medalionem przedstawiającym Matkę Boską Ostrobramską oraz tablicą z napisem „Ne vi ius opprimatur fortiter et nobiliter ceciderunt" (Nie siłą prawa złamani, mężnie i szlachetnie zginęli). Jak na każdym polskim cmentarzu wojennym we Włoszech, wśród dominujących grobów katolików znajdujemy mogiły żołnierzy prawosławnych, wyznania mojżeszowego oraz muzułmanów. Pochówki na cmentarzu odbywały się do momentu ewakuacji 2. Korpusu Polskiego do Wielkiej Brytanii w 1946 r. Z pewnością najbardziej rozpoznawalną postacią pochowaną w Casamassimie był mjr Henryk Sucharski, we wrześniu 1939 r. komendant Wojskowej Składnicy Tranzytowej na Westerplatte. Przebywał w niewoli niemieckiej do końca wojny. W lipcu 1945 r. zameldował się w dowództwie 2. Korpusu Polskiego we Włoszech, w styczniu następnego roku otrzymał stanowisko dowódcy 6. Batalionu Strzelców Karpackich. Zmarł 30 sierpnia 1946 r. w brytyjskim szpitalu wojskowym w Neapolu w wyniku zapalenia otrzewnej. Szczątki majora ekshumowano 21 sierpnia 1971 r. i przewieziono do Polski, a 1 września tegoż roku pochowano na cmentarzu wojennym na Westerplatte.

Polski szpital wojskowy

Przygotowując zaplecze dla zbliżającej się bitwy o Monte Cassino, 4 maja 1944 r. dowództwo 2. Korpusu Polskiego utworzyło w Casamassimie bazę szpitalną, która miała przyjmować ciężkie i skomplikowane przypadki, niekwalifikujące się do leczenia w Acquafondacie i San Vittore del Lazio. Powstał w ten sposób największy szpital wojskowy na południu Włoch, mieszczący 1,2 tys. łóżek. W szczytowym natężeniu walk miesięcznie przyjmowano do 2 tys. rannych i chorych żołnierzy. W wyniku zwiększającej się odległości od linii frontu do Casamassimy ciągnęły niekończące się kolumny sanitarne z rannymi. Dowożono ich zresztą także koleją, a w szczególnych przypadkach – drogą lotniczą. Załoga szpitala liczyła ponad 100 pielęgniarek i 160 ochotniczek. Wśród personelu medycznego znaleźli się m.in. dr Adam Gołębiowski, dr Jerzy Kanarek, dr Irena Kocowicz i dr płk Tadeusz Sokołowski. Tradycyjnie polscy lekarze wojskowi nieśli pomoc medyczną miejscowej ludności, o czym wdzięczna pamięć przetrwała wśród mieszkańców Casamassimy do naszych czasów. Główną siedzibą szpitala był istniejący do dzisiaj budynek szkoły podstawowej im. Guglielmo Marconiego przy Via G. Marconi 39.

Castel San Pietro Terme – region Emilia-Romania, prowincja Bolonia

Pomnik nad rzeką Sillaro

Miejscowość została wyzwolona 17 kwietnia 1945 r. przez zgrupowanie „RUD” gen. Klemensa Rudnickiego w ramach wznowionej ofensywy na Bolonię. W siedemdziesiątą rocznicę tego wydarzenia miejscowe władze odsłoniły nad brzegiem rzeki Sillaro niewielki pomnik z terakotową płaskorzeźbą przedstawiającą walki polskich żołnierzy o miasto.

Tablica upamiętniająca wyzwolenie Imoli przez 2. Korpus Polski.

Forli – region Emilia-Romania, stolica prowincji Forli-Cesena

Tablica pamiątkowa w kościele San Mercuriale

Walki o Forli i ofiara polskiego żołnierza zostały upamiętnione tablicą umieszczoną w dwunastowiecznym kościele San Mercuriale. W pierwszych dniach listopada 1944 r. do miasta wkroczyły oddziały brytyjskiego 5. Korpusu. Było to możliwe dzięki ciężkim walkom toczonym na południe od Forli przez 3. Dywizję Strzelców Karpackich, wgryzającą się w obronę niemiecką. Mimo trudnych warunków terenowych i fatalnej pogody niemiecki garnizon w mieście został oskrzydlony i zmuszony do odwrotu. W czasie podjętej w 1945 r. wiosennej ofensywy na Bolonię w rejonie Forli zorganizowano centrum szpitalne, złożone z 3. i 5. Polowego Szpitala Ewakuacyjnego, stanowiące zabezpieczenie medyczne działań 2. Korpusu Polskiego.

Imola – region Emilia-Romania, prowincja Bolonia

Tablica upamiętniająca wyzwolenie miasta przez 2. Korpus Polski

Miasto słynie ze znajdującego się w pobliżu toru wyścigowego – Autodromo Enzo e Dino Ferrari. W kwietniu 1945 r. znalazło się na osi głównego natarcia 2. Korpusu Polskiego na Bolonię. Dzięki kombinowanemu manewrowi 4. Wołyńskiej Brygady Piechoty i 3. Brygady Strzelców Karpackich, 14 kwietnia 1945 r. karpatczycy zajęli Imolę. Przy wjeździe do miasta znajduje się pomnik poświęcony żołnierzom

2. Korpusu Polskiego, odsłonięty w 60. rocznicę wyzwolenia Imoli. W czasie kolejnych uroczystości w 2015 r. w pobliżu Viale della Resistenza w Imoli odbyła się uroczystość nazwania niewielkiego skweru imieniem gen. Władysława Andersa oraz odsłonięcia pomnika legendarnego niedźwiedzia Wojtka, przygarniętego przez polskich żołnierzy.

Loreto – region Marche, prowincja Ankona

Polski Cmentarz Wojenny

Cmentarz założono w 1944 r. na zboczu wzgórza u stóp bazyliki loretańskiej. Znajduje się ona na terenie posiadłości Watykanu, których część na potrzeby pochówku Polaków przeznaczył bp Gaetano Malchiodi. Grzebano tu żołnierzy 2. Korpusu Polskiego poległych w kampanii adriatyckiej, w walkach o Ankonę i Loreto, nad rzeką Metauro i na Linii Gotów. 1081 grobów rozmieszczono na tarasach opadających w kierunku wybrzeża adriatyckiego. Spoczywają tam katolicy, Żydzi, ewangelicy, prawosławni, a także jeden muzułmanin. Od strony morza wchodzi się na cmentarz przez monumentalną bramę – łuk triumfalny zwieńczony figurą Chrystusa. W centrum umieszczono maszt na kamiennym cokole ozdobio-

Polski Cmentarz Wojenny w Loreto, w tle bazylika Santa Casa.

nym orłami i nazwami pól bitewnych: Ankona, Loreto, Metauro, Linia Gotów. W górnej części wzniesiono kaplicę z otwartym ołtarzem ozdobionym medalionem z wizerunkiem Matki Boskiej Ostrobramskiej. Na tylnej ścianie kaplicy umieszczono napis „Polski Cmentarz Wojenny" w językach polskim, włoskim i angielskim oraz godła 2. Korpusu Polskiego, 3. Dywizji Strzelców Karpackich, 5. Kresowej Dywizji Piechoty i 2. Warszawskiej Dywizji Pancernej. Poniżej znajduje się wejście do niewielkiego pomieszczenia pełniącego funkcję zakrystii dla duchownych odprawiających nabożeństwa. W murze za kaplicą umieszczono furtkę, od której prowadzi alejka w stronę bazyliki. Za budowę cmentarza, poświęconego 6 maja 1946 r., odpowiadał inż. Roman Wajda.

Polska kaplica w bazylice

Potężna bazylika kryje w swoim wnętrzu niezwykłą relikwię: Święty Dom z Nazaretu, który zapoczątkował serię replik – domków i kaplic loretańskich w całej Europie. Po prawej stronie od prezbiterium znajduje się Kaplica Serca Pana Jezusa, zwana Polską, zdobiona freskami włoskiego artysty Arturo Gattiego, namalowanymi w latach 1913–1939. Program malowideł jest związany z historią Polski. Na sklepieniu została przedstawiona Najświętsza Maria Panna Królowa Polski, przed którą klęczy św. Kazimierz Królewicz, ofiarujący koronę. Tę scenę otacza grupa postaci: król Jan III Sobieski, husarz, osoby w strojach ludowych, franciszkanin i patroni Polski: bł. Salomea, św. Wojciech, bł. Jakub Strzemię, św. Jan Kanty, św. Stanisław ze Szczepanowa i św. Stanisław Kostka. Na prawej ścianie znajduje się scena triumfu Jana III Sobieskiego pod Wiedniem w 1683 r., na lewej ścianie – alegoria „cudu nad Wisłą" w 1920 r. z portretami postaci historycznych: Józefa Piłsudskiego, gen. Tadeusza Jordan Rozwadowskiego, gen. Józefa Hallera, ks. Ignacego Skorupki, nuncjusza papieskiego Achille Rattiego, prymasa Polski kard. Edmunda Dalbora i arcybiskupa Warszawy, kard. Aleksandra Kakowskiego. Ołtarz w kaplicy jest ozdobiony wizerunkiem Orderu Wojennego Virtuti Militari. Polscy żołnierze w sposób szczególny związali się z loretańskim sanktuarium Santa Casa. Po zajęciu miasta przez polskie jednostki Niemcy przeprowadzili 6 lipca 1944 r. bombardowanie Loreto, w tym bazyliki. W wyniku nalotu zapłonęła kopuła świątyni. Na ratunek pospieszyli ułani karpaccy, którzy nie zważając na ostrzał, ugasili pożar.

Brak strat w czasie akcji ratunkowej przypisano opiece Matki Bożej. Dziesięć lat później Arturo Gatti uzupełnił wystrój Kaplicy Polskiej, wykonując witraże przedstawiające sceny gaszenia ognia przez polskich żołnierzy. Przy wejściu do kaplicy umieszczono trzy tablice pamiątkowe: poświęconą zwycięstwu pod Wiedniem, zawierającą podziękowanie Piusa XII polskim żołnierzom (za uratowanie bazyliki) oraz ufundowaną w czterdziestą rocznicę wybuchu II wojny światowej przez weteranów 2. Korpusu Polskiego.

Matera – region Basilicata, prowincja Matera

Szkoła podchorążych 2. Korpusu Polskiego

Region Basilicata, położony w sąsiedztwie portu w Bari, stanowił zaplecze logistyczne, szkoleniowe i szpitalne 2. Korpusu Polskiego. Szkoły wojskowe znajdowały się w Alessano, Ostuni i właśnie w Materze – w budynku dzisiejszej szkoły podstawowej im. o. Giovanniego Minozziego. Była to szkoła podchorążych działająca w latach 1944–1946, upamiętniona w 2005 r. tablicą z inskrypcją w językach włoskim i polskim o treści: „W tym gmachu w latach 1944–1946 znalazły gościnę szkoły podchorążych 2. Korpusu Polskiego. Dla upamiętnienia ofiary tych dzielnych żołnierzy, którzy walczyli i umierali za triumf sprawiedliwości, demokracji i wolności naszych dwóch bratnich narodów – rada miasta i mieszkańcy Matery". Obszar dyslokacji polskich jednostek nazywano „małą Polską" – tak jak inne miejsca na mapie świata, w których na dłużej zatrzymywali się polscy żołnierze lub uchodźcy w czasie wojennej tułaczki. Charakterystyczne, że Polacy zawsze cieszyli się w takich miejscach ogromną sympatią mieszkańców. Żołnierz polski wspierał cywilów, szczególnie dzieci, zapewniając żywność i opiekę medyczną. Pozostało to do dzisiaj w życzliwej pamięci Włochów.

Zdjęcie polskiego żołnierza z wystawy o 2. Korpusie Polskim w Museo Archeologico Nazionale „Domenico Ridola" w Materze.

Monte Cassino – region Lacjum, prowincja Frosinone

Polski Cmentarz Wojenny

Zespół polskich miejsc pamięci w rejonie miasta Cassino i klasztoru benedyktyńskiego na Monte Cassino doczekał się licznych publikacji naukowych, popularnych i albumowych. Ze względu na wysokie straty i konieczność szybkiego pochówku zwłok, wystawionych na działanie wysokich temperatur, do budowy cmentarza przystąpiono praktycznie zaraz po zakończeniu walk. Wybrano miejsce w pasie głównego natarcia 3. Dywizji Strzelców Karpackich – płaskie siodło między klasztorem a wzgórzem 593, zwane Doliną Śmierci. Prace pod kierownictwem inż. Tadeusza Muszyńskiego wykonywali żołnierze 2. Korpusu Polskiego, wspierani przez włoskich kamieniarzy. Autorami projektu byli architekci Wacław Hryniewicz i Jerzy Skolimowski. Elementy rzeźbiarskie wykonał Michał Paszyn, za wyjątkiem orłów strzegących wejścia – to dzieło włoskiego rzeźbiarza, prof. Duilio Cambelottiego. Cmentarz został poświęcony już 1 września 1945 r. – w obrządkach katolickim, prawosławnym, ewangelickim i żydowskim z udziałem przedstawicieli polskich władz wojskowych i cywilnych na uchodźstwie oraz dowództwa wojsk alianckich. Prace wykończeniowe trwały jeszcze do 1946 r. Ostatecznie pochowano tu 1075 poległych żołnierzy, a w późniejszym okresie dochowano biskupa polowego Józefa Gawlinę (8 kwietnia 1965 r.), gen. Władysława Andersa (18 maja 1970 r.) i jego drugą żonę Irenę Renatę Anders (21 maja 2011 r.). Na cmentarzu znajduje się także symboliczna płyta nagrobna gen. Bronisława Bolesława Ducha, dowódcy 3. DSK, zmarłego 9 października 1980 r.

Pomnik 5. Kresowej Dywizji Piechoty

Pomnik stanął na wzgórzu 575, które było celem natarcia żołnierzy dywizji podczas przełamywania Linii Gustawa. Zaprojektowali go inżynierowie Królikowski i Urbanowicz, wykorzystując do wzniesienia monumentalnego krzyża kratownice saperskiego mostu Bayleya. Pozwoliło to na ukończenie budowy już dwa tygodnie po zdobyciu klasztoru. Upamiętnienie zostało poświęcone 18 maja 1945 r. Znajdują się na nim tablice z polskimi i łacińskimi inskrypcjami: „Żołnierze 5 Kresowej Dywizji Piechoty przemocą z Ojczyzny wyzuci poprzez więzienia, obozy, tundry Sybiru, pustynie, morza w marszu do Polski stoczyli tu 7-dniowy bój, 503 poległo, 1531 rany odniosło. W imię praw Boskich i ludzkich za waszą

Polski Cmentarz Wojenny u podnóża odbudowanego klasztoru na Monte Cassino.

wolność i naszą w spełnianiu testamentu przodków, w wykonaniu obowiązku żyjących jako drogowskaz dla przyszłych pokoleń za Wilno i Lwów, symbole Rzeczypospolitej walczyli – umierali – zwyciężali". Kompozycji dopełniały pierwotnie herby Rzeczypospolitej Trojga Narodów oraz miast Lwowa i Wilna. Niestety, zostały skradzione. Przy pomniku rozsypano prochy dowódcy 5. Dywizji, gen. Klemensa Stanisława Rudnickiego (1897–1992).

Pomnik 4. Pułku Pancernego „Skorpion"

Najbardziej dramatyczny pomnik – wrak czołgu Sherman, a zarazem miejsce straszliwej śmierci jego załogi. Stoi u wylotu Gardzieli, na starej drodze z Massa Albaneta do doliny rzeki Rapido – tu, gdzie 12 maja 1944 r. pojazd najechał na zestaw niemieckich min talerzowych. Przejmujące upamiętnienie, zaprojektowane przez artystę rzeźbiarza por. Władysława Kuźniarza, odsłonięto 18 maja 1946 r. W wypalony czołg wstawiono krzyż z zespawanych gąsienic, o który opierają się dwie tablice. Na jednej widnieje napis „Bohaterom Pułku 4 Pancernego poległym w marszu do Polski", na drugiej – napis rozpoczynający się od słów „Tu polegli pierwsi żołnierze odrodzonej na Wschodzie broni pancernej".

Pierwotnie krzyż wspierały dwa spiżowe skorpiony. Niestety, zostały skradzione w latach siedemdziesiątych.

Pomnik 3. Dywizji Strzelców Karpackich

Potężny jedenastometrowy obelisk projektu kpt. Tadeusza Zandfosa, wieńczący Monte Calvario (wzgórze 593), został odsłonięty 18 lipca 1945 r. Umieszczono na nim krzyż, orły i odznaki dywizyjne oraz słowa żołnierza-poety Bolesława Kobrzyńskiego: „Za wolność naszą i waszą my, żołnierze polscy, oddaliśmy Bogu ducha, ziemi włoskiej ciało, a serca Polsce". Na tablicy u stóp pomnika zapisano nazwiska 1115 żołnierzy 3. Dywizji Strzelców Karpackich poległych w kampanii włoskiej. Tutaj też pochowano prochy dowódcy dywizji, gen. Ducha.

Mottola – region Apulia, prowincja Tarent

Obraz Matki Boskiej Ostrobramskiej i drzewo przyjaźni polsko-włoskiej

Mottola leżała na obszarze „małej Polski" w Apulii. W katedrze Matki Boskiej Wniebowziętej znajduje się obraz Matki Boskiej Miłosierdzia z Ostrej Bramy w Wilnie. W ramach obchodów siedemdziesiątej rocznicy zakończenia II wojny światowej została zorganizowana polsko-włoska uroczystość, w ramach której

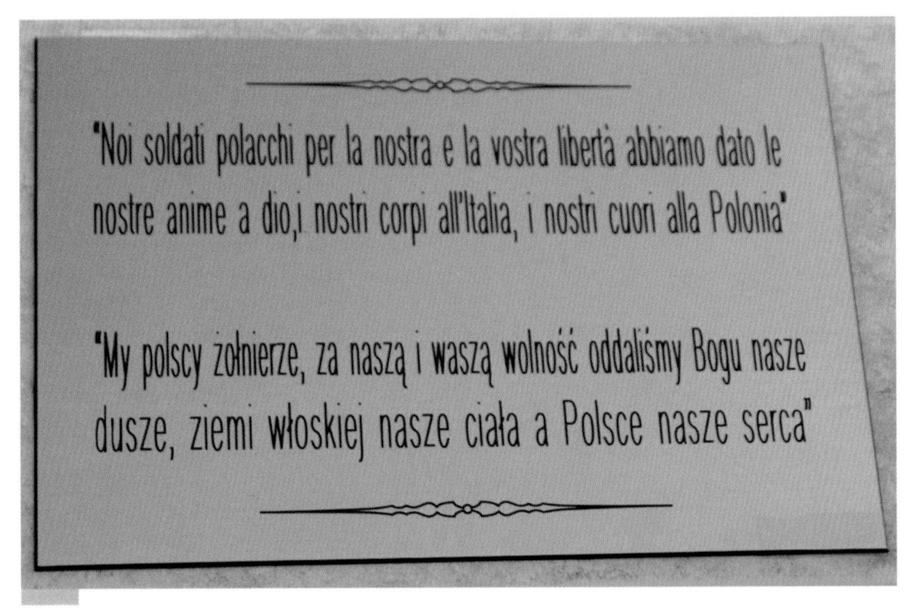

Tablica przy drzewie oliwnym posadzonym przez polskie i włoskie dzieci w 2015 r.

polskie i włoskie dzieci posadziły drzewo oliwne – symbol przyjaźni. Pozostaje nadzieja, że ta długowieczna roślina (osiąga wiek tysiąca lat) będzie przez pokolenia żywym pomnikiem. Na tabliczce obok oliwki umieszczono znaną już, nieco tylko zmienioną, inskrypcję: „My, polscy żołnierze, za naszą i waszą wolność oddaliśmy Bogu nasze dusze, ziemi włoskiej nasze ciała, a Polsce nasze serca".

Piedimonte San Germano – region Lacjum, prowincja Frosinone

Pomnik 6. Pułku Pancernego „Dzieci Lwowskich"

Zdobycie Monte Cassino umożliwiło siłom alianckim wejście w dolinę rzeki Liri z zamiarem rozwinięcia natarcia na Rzym. Niemieckie dowództwo nie zamierzało ułatwiać zadania. Sprawnie wycofując siły z przełamanych linii, obsadziło zawczasu przygotowane i silnie umocnione pozycje ryglujące. Jedną z nich było miasteczko Piedimonte San Germano, położone na wzgórzu zwieńczonym ruinami średniowiecznego zamku. Przedpola broniły Panzerturm – stacjonarne wieże czołgów Panther osadzone na wkopanych w ziemię żelbetowych schronach. Miasteczko zamieniono w twierdzę zaopatrzoną w kopuły pancerne na karabiny maszynowe, ukryte stanowiska kilkunastu dział przeciwpancernych, umocnione pozycje obsadzone weteranami z jednostek górskich i spadochroniarzami. Dostęp do centrum zapewniała wąska droga biegnąca serpentyną pod górę. Pierwszy atak przeprowadził 19 maja 1944 r. 18. Lwowski Batalion Strzelców. Wycofał się, rozpoznając niemieckie pozycje. Utworzono grupę uderzeniową pod komendą ppłk. Władysława Bobińskiego, tzw. Grupę Bob, złożoną z 6. Pułku Pancernego „Dzieci Lwowskich", grupy piechoty ppłk. Jana Lacho-

Pomnik 6. Pułku Pancernego „Dzieci Lwowskich" w Piedimonte.

wicza, plutonu moździerzy, artylerii przeciwpancernej oraz saperów. W nocy z 24 na 25 maja 1944 r. polskie czołgi zdobyły skalne gniazdo, prowadząc szturm wąską drogą pod górę. Władze Piedimonte, jako wyraz wdzięczności, przekazały Polakom na własność działkę w najwyższej części miasta. Tam wzniesiono masywny obelisk zwieńczony orłem, który poświęcono 19 sierpnia 1973 r. Upamiętnienie powstało z inicjatywy i dzięki staraniom pancerniaków z 6. Pułku. Znalazła się na nim tablica z nazwiskami czterdziestu poległych żołnierzy pułku oraz inskrypcja: „Za wolność naszą i waszą Pułk 6 Pancerny Dzieci Lwowskich w drodze do dalekiej Polski i zawsze wiernego grodu przodków swoich po pięciodniowej ciężkiej bitwie zdobył 26 maja 1944 roku wzgórze oraz miasteczko Piedimonte San Germano. Pielgrzymie z ojczystego kraju, gdy zatrzymasz się na chwilę, wznieś oczy do Boga i westchnij szczerą modlitwą za dusze braci twoich, co w ofierze młode życie ojczyźnie złożyli. Przekaż potomnym, że wolność narodu nie jest tylko prawem i chwałą żywych! Wolność nade wszystko jest tryumfem poległych!”.

Reggio Emilia – region Emilia-Romania

Upamiętnienie polskiego hymnu

Tutaj, w Palazzo del Capitano del Popolo przy Piazza Prampolini, Napoleon Bonaparte powołał w 1797 r. Republikę Cisalpińską i nadał jej trójkolorową oficjalną flagę narodową Włoch, obowiązującą do dziś. Tutaj także stacjonowały Legiony Polskie dowodzone przez gen. Jana Henryka Dąbrowskiego. W pałacu biskupim zamienionym na koszary Józef Wybicki napisał *Mazurka Dąbrowskiego* – późniejszy hymn Rzeczypospolitej. Jego pierwsze wykonanie miało miejsce 20 lipca 1797 r. w Caffè dei Luterani. Jedna z ulic nosi nazwę Józef Wybicki – Patriota Polacco 1747–1822.

San Vittore Del Lazio – region Lacjum, prowincja Frosinone

Pomnik w miejscu polskiego cmentarza przyszpitalnego

Przez San Vittore del Lazio przechodził południowy odcinek szlaku zaopatrzenia 2. Korpusu Polskiego w czasie walk o Monte Cassino. Podobnie jak w przypadku Acquafondaty na szlaku północnym, założono tu punkt sanitarny i niewielki polowy cmentarz przy piętnastowiecznym kościółku Santa Maria del Soccorso (zwanym również San Sebastiano). Cmentarz istniał w latach 1944–1945, po czym szczątki poległych przeniesiono na cmentarz na Monte Cassino. Na miejscu pozostał jedynie wysoki krzyż z łusek artyleryjskich, wykonany przez polskich saperów. Po latach miejscowe władze przeniosły krzyż na cmentarz parafialny w San Vittore. W siedemdziesiątą rocznicę bitwy o Monte Cassino Rada Ochrony Pamięci Walk i Męczeństwa wykonała w miejscu po cmentarzu nowy pomnik w formie płaskorzeźby orła wojskowego otoczonego półkolistym murkiem, na którym umieszczono tablice memoratywne z napisem w językach polskim i włoskim: „Pamięci bohaterskich żołnierzy 3. Dywizji Strzelców Karpackich oraz 2. Brygady Pancernej 2. Korpusu Polskiego poległych w bitwie o Monte Cassino za wolność Polski i Włoch. Pochowani w tym miejscu na prowizorycznym cmentarzu, w 1945 zostali przeniesieni na Polski Cmentarz Wojenny na Monte Cassino. Krzyż wykonany przez żołnierzy 2. Korpusu Polskiego w 1945. Upamiętnienie ufundowane przez Rzeczpospolitą Polską staraniem Rady Ochrony Pamięci Walk i Męczeństwa dzięki życzliwości władz miasta San Vittore Del Lazio. Maj 2014". W pomnik udało się wkomponować zabytkowy krzyż z łusek, przeniesiony w pierwotne miejsce z włoskiego cmentarza.

Santa Maria Capua Vetere – region Kampania, prowincja Caserta

Kwatera polskich jeńców z armii austro-węgierskiej

Na cmentarzu w Santa Maria Capua Vetere znajduje się kwatera z grobami polskich żołnierzy z okresu I wojny światowej. Byli to jeńcy z armii austro-węgierskiej, których wydzielono w celu uzupełnienia szeregów tworzącej się we Francji Armii Polskiej gen. Józefa Hallera. Przechodzili oni wstępne przeszkolenie w miejscowym obozie, w czasie którego ponad stu zmarło, głównie w wyniku chorób i ran odniesionych jeszcze w czasie walk. Z jeńców 4 grudnia 1918 r. sformowano 2. Pułk Strzelców Polskich im. Tadeusza Kościuszki. 14 stycznia 1919 r. rozpoczął się przerzut oddziału do obozu w Tonnoy w pobliżu Nancy, gdzie nastąpiło uzupełnienie ochotnikami z Ameryki Północnej, polskimi jeńcami z Armii Cesarstwa Niemieckiego oraz francuską kadrą oficerską i podoficerską. 23 kwietnia ruszyły pierwsze transporty komponentów pułku do Polski, do Hrubieszowa, wyznaczonego na stałe miejsce stacjonowania. Już w kraju jednostkę przemianowano na 5. Pułk Strzelców Pieszych, a 1 września – na 47. Pułk Strzelców Kresowych. Nie zapomniano o towarzyszach broni, których groby pozostały na włoskiej ziemi. Kwatera była pielęgnowana i odwiedzana przez polskie delegacje, a w 1935 r. na ścianie kaplicy cmentarnej została wmurowana tablica pamiątkowa z nazwiskami pochowanych tam polskich żołnierzy.

Santa Sofia – region Emilia-Romania, prowincja Forlì-Cesena

Tablice upamiętniające wyzwolenie miasta i tablica ku czci ppłk. Zbigniewa Kiedacza

Miasto zostało wyzwolone 18 października 1944 r. przez jednostki 2. Korpusu Polskiego w ramach operacji prowadzonych w Apeninie Emiliańskim. Z Santa Sofia związany jest ppłk dypl. Zbigniew Kiedacz, dowódca 15. Pułku Ułanów Poznańskich – niezwykle dzielny żołnierz, odznaczony krzyżami złotym i srebrnym Orderu Wojennego Virtuti Militari oraz Krzyżem Walecznych, obrońca Ojczyzny we wrześniu 1939 r., uciekinier z sowieckiej niewoli, ambitny, uparty i surowy. W 2. Korpusie Polskim był najmłodszym dowódcą pułku. Zginął na skutek wybuchu niemieckiej miny, gdy jechał na rozpoznanie nowej drogi w Civitella di Romagna. Pierwotnie pochowano go na cmentarzu w Santa Sofia, a po wojnie przeniesiono szczątki na polski cmentarz wojenny w Bolonii. Na budynku

Kwatera z grobami polskich żołnierzy z okresu I wojny światowej w Santa Maria Capua Vetere.

Mozaika w krypcie pod ołtarzem na Polskim Cmentarzu Wojennym w Bolonii, przedstawiająca szlak bojowy 2. Korpusu Polskiego we Włoszech i wizerunki czterech polskich cmentarzy.

ratusza przy Piazza Giacomo Matteotti znajdują się dwie tablice: jedna w formie ceramicznej płaskorzeźby z dedykacją dla polskich żołnierzy i gen. Andersa od mieszkańców miasta, odsłonięta 18 października 2008 r., i druga, upamiętniająca ppłk. Kiedacza, odsłonięta w 2015 r. ▪

Wszystkie zdjęcia pochodzą ze zbiorów autora.

Adam Siwek (ur. 1975) – historyk sztuki, dr, dyrektor Biura Upamiętniania Walk i Męczeństwa IPN. Autor książek: (z Andrzejem Krzysztofem Kunertem i Zygmuntem Walkowskim) *Polski cmentarz wojenny w Kijowie-Bykowni (czwarty cmentarz katyński)* (2012); (z Anną Koszowy, Anną Wicką i Teresą Zacharą) *Powstanie Styczniowe. Mogiły i miejsca pamięci*, t. 1–3 (2013).

BIULETYN IPN
PISMO O NAJNOWSZEJ HISTORII POLSKI
NR 9 (154), wrzesień 2018

Kolumbarium w Tuskulanach.
Fot. ze zbiorów autora

Andrzej Grajewski

Więzienie KGB w Wilnie na trasie podróży papieża Franciszka

Papież Franciszek odwiedzi od 22 do 25 września kraje bałtyckie. Dwa dni spędzi na Litwie. Jednym z ważniejszych wydarzeń litewskiego programu będzie papieska wizyta w gmachu byłej siedziby KGB w Wilnie.

Potężny budynek stoi w centrum miasta, przy prospekcie Giedymina nieopodal pl. Łukiskiego. Został wybudowany w 1890 r. jako siedziba sądu gubernialnego. Podczas I wojny światowej mieściła się tam niemiecka administracja, a w latach II Rzeczypospolitej – Sąd Wojewódzki dla województwa wileńskiego. Gdy w czerwcu 1940 r. Wilno zostało zajęte przez Sowietów, w budynku ulokowała się administracja NKWD, a w podziemiach umieszczono areszt śledczy. Rok później była to już wileńska kwatera gestapo, a od 1944 r. znów siedziba sowieckich organów bezpieczeństwa. To miejsce symboliczne dla najnowszej historii Litwy. Stąd płynęły rozkazy do jednostek, które zawoziły do pobliskich Ponar dziesiątki tysięcy Żydów, Polaków oraz przedstawicieli innych narodów, rozstrzeliwanych przez Niemców oraz kolaborującą z nimi litewską formację policyjną Ypatingasis būrys (Specjalny Oddział SD i Niemieckiej Policji Bezpieczeństwa), która w latach 1941–1944 także stacjonowała w tym budynku.

Gdy w lipcu 1944 r. do Wilna wróciła Armia Czerwona, w podziemiach umieszczono Areszt Centralny NKGB Litewskiej Socjalistycznej Republiki Sowieckiej. Pierwszymi więźniami byli AK-owcy, później osadzano tam partyzantów litewskich oraz osoby aresztowane za kolaborację z Rzeszą Niemiecką. Od września 1944 do kwietnia 1947 r. w specjalnym pomieszczeniu w podziemiach tego budynku wykonywano wyroki śmierci, najczęściej strzałem w tył głowy. Ciała zamordowanych umieszczano w drewnianych skrzyniach, które na podwórzu ładowano na samochody ciężarowe i wywożono. Szacuje się, że w tym miejscu wykonano co najmniej 773 egzekucje. Zginęli przedstawiciele piętnastu narodowości, w tym 559 Litwinów oraz 56 Polaków, wśród nich 32 żołnierzy AK[1]. Kaci z NKGB rozstrzelali tu m.in. biskupa pomocniczego diecezji telszewskiej, Vincentasa Borysevičiusa, oraz kapelana AK ks. Mikołaja Tappera. Wśród straconych byli także niemieccy zbrodniarze wojenni oraz ich kolaboranci. Nazwiska zidentyfikowanych ofiar są umieszczone na zewnętrznej fasadzie budynku, a ich twarze oraz historie przypomniano na wystawie.

Długo nie wiedziano, co się stało z ciałami zamordowanych w centrum Wilna. Dopiero w latach dziewięćdziesiątych szczątki zostały odnalezione w trakcie prac archeologicznych prowadzonych w majątku Tuskulany, neoklasycystycznej rezydencji pięknie położonej nad brzegiem Wilii. W 1940 r. posiadłość znacjonalizowano, a rozległy park w drugiej połowie 1944 r. zamieniono na cmentarzysko, o którego istnieniu aż do upadku komunizmu nikt postronny nie wiedział. W latach 1994–1995 i w roku 2003 w trakcie prac archeologicznych odnaleziono tam 45 dołów śmierci, w których pochowano 724 osoby. Szczątków najczęściej nie udało się zidentyfikować. Z dokumentów wiemy, że byli to członkowie

---

[1] M. Tomkiewicz, *Więzienie na Łukiszkach w Wilnie 1939–1953*, Warszawa 2018, s. 174–189.

Pomnik przed Muzeum Ofiar Ludobójstwa. Fot. ze zbiorów autora

antykomunistycznego Litewskiego Ruchu Oporu, żołnierze Armii Krajowej, ale także litewscy kolaboranci III Rzeszy i niemieccy zbrodniarze wojenni. Władze litewskie ekshumowały szczątki i umieściły je w podziemnym kolumbarium na stoku sztucznie utworzonego wzgórza.

Do 1991 r. w gmachu przy prospekcie Giedymina (wówczas Lenina) mieściła się siedziba republikańskich władz KGB. Rok później litewski parlament wydał ustawę, której celem było zabezpieczenie sowieckich archiwaliów oraz upamiętnienie ofiar represji. W październiku 1992 r. w budynku byłego gmachu KGB powstało Muzeum Ofiar Ludobójstwa (Genocido aukų muziejus), utworzone przez Ministerstwo Kultury Litwy na wniosek Związku Więźniów Politycznych i Deportowanych[2]. W 1997 r. muzeum przekazano Centrum Badania Ludobójstwa i Ruchu Oporu na Litwie. Zadaniem tej instytucji jest badanie i upowszechnienia wiedzy o totalitaryzmach nazistowskim i sowieckim oraz upamiętnienie ofiar obu systemów[3]. Od 2011 r. centrum publikuje także dokumenty KGB. Dyrektorem placówki jest Teresė Birutė Burauskaitė, w czasach komunistycznych działaczka

---

[2] Witryna internetowa ma adres: http://genocid.lt/muziejus [dostęp: 11 VII 2018 r.].

[3] Ustawa z 5 lipca 1997 r. o Centrum Badania Ludobójstwa i Ruchu Oporu na Litwie, https://e-seimas.lrs.lt/portal/legalAct/lt/TAD/TAIS.43653 [dostęp: 11 VII 2018 r.].

środowisk niezależnych, kolporterka literatury drugiego obiegu, a także organizatorka pomocy dla rodzin więźniów politycznych. Kiedy w 1988 r. powstał Sąjūdis (Litewski Ruch na Rzecz Przebudowy), Burauskaitė pracowała w komisji zajmującej się upamiętnieniem ofiar zbrodni stalinowskich, później organizowała archiwum oraz kierowała badaniami, których efektem jest m.in. osiem opracowanych przez nią tomów dokumentacji ludobójstwa mieszkańców Litwy[4]. Dyrektor Burauskaitė będzie towarzyszyła papieżowi podczas wizyty w tym miejscu.

Papież Franciszek prawdopodobnie będzie milczał w czasie zwiedzania byłej siedziby KGB – podobnie było 29 lipca 2016 r. podczas jego wizyty w byłbym niemieckim nazistowskim obozie koncentracyjnym i zagłady Auschwitz-Birkenau oraz przed Ścianą Straceń na dziedzińcu Bloku 11. Plan przewiduje, że papież ma zejść do piwnic, w których znajdowały się cele i przeprowadzano egzekucje. W tym wyjątkowym miejscu będzie mu towarzyszył abp Sigitas Tamkevičius SJ, emerytowany metropolita Kowna, jeden z najbardziej znanych katolickich działaczy dysydenckich w czasach sowieckich. Przez sześć lat pracował jako ksiądz diecezjalny, a później tajnie wstąpił do zakonu jezuitów. W 1972 r. zaczął redagować w drugim obiegu „Kronikę Kościoła Katolickiego na Litwie", najważniejsze pismo informujące o życiu katolików w ZSRS. W listopadzie 1978 r. był współzałożycielem Katolickiego Komitetu Obrony Praw Wierzących. Aresztowany w 1983 r., otrzymał karę sześciu lat łagrów i czterech lat zesłania. Uwolniony w roku 1988, wrócił do pracy duszpasterskiej. W 1996 r. Jan Paweł II mianował go arcybiskupem kowieńskim.

Zapytałem arcybiskupa, co będzie chciał przekazać papieżowi. Odparł: „Być może będę miał okazję pokazać mu celę, w której siedziałem. Opowiem, jak w takich chwilach Bóg jest blisko i jak wielką nadzieję potrafi wlać w serce człowieka".

---

[4] *Lietuvos gyventojų genocidas*, red. B. Burauskaitė, t. 1: *1939–1941 (A–Ž)*, Vilnius 1999; t. 2: *1944–1947 (A–J)*, Vilnius 1998; t. 2: *1944–1947 (K–S)*, Vilnius 2002; t. 2: *1944–1947 (Š–Ž)*, Vilnius 2005; t. 3: *1948 (A–M)*, Vilnius 2007; t. 3: *1948 (N– Ž)*, Vilnius 2009; t. 4: *1949 (A–M)*, Vilnius 2012; t. 4: *1949 (N– Ž)*, Vilnius 2014.

Andrzej Grajewski (ur. 1953) – historyk, dr, zastępca redaktora naczelnego tygodnika „Gość Niedzielny". W latach 1999–2006 członek Kolegium IPN. Autor książek: *Tarcza i miecz. Rosyjskie służby specjalne 1991–1998* (1998); *Kompleks Judasza. Kościół zraniony. Chrześcijanie w Europie Środkowo-Wschodniej między oporem a kolaboracją* (1999); (z Michałem Skwarą) *„Agca nie był sam". Wokół udziału komunistycznych służb specjalnych w zamachu na Jana Pawła II* (2015) i in.

BIULETYN IPN
PISMO O NAJNOWSZEJ HISTORII POLSKI
NR 9 (154), wrzesień 2018

Uroczystość w Czarnem.
Fot. ze zbiorów autora

Ks. Jarosław Wąsowicz SDB

Serce dla „Inki”

W niedzielę 30 września w kaplicy na cmentarzu w Ossowie, na którym spoczywają żołnierze Bitwy Warszawskiej z 1920 r., odsłonimy ósme już srebrne „Serce dla Inki". Zapraszam na tę uroczystość. Wszystkich zaś, którzy chcieliby się włączyć w naszą inicjatywę upamiętniania Danuty Siedzikówny, zachęcam do współpracy..

Wszystko zaczęło się na cmentarzu Garnizonowym w Gdańsku, na którym ekipa prof. Krzysztofa Szwagrzyka prowadziła we wrześniu 2014 r. poszukiwania doczesnych szczątków Danuty Siedzikówny „Inki” oraz Feliksa Selmanowicza „Zagończyka”. Oboje byli żołnierzami 5. Wileńskiej Brygady Armii Krajowej. Nie mogło mnie tam zabraknąć i to z wielu powodów. Jako historyk od lat zajmuję się badaniem dziejów antykomunistycznej opozycji młodzieżowej w PRL, „Inka” zaś była przedstawicielką tego pokolenia, które podjęło walkę z narzuconym Polsce systemem komunistycznym. Odkąd powróciła do społecznej świadomości, zdobyła sobie serca młodych ludzi, upatrujących w jej postawie wzór do naśladowania.

Ponadto Danka i jej starsza siostra Wiesława były związane z Towarzystwem Salezjańskim, którego jestem członkiem. Już przed wojną obie zapisały się do szkoły

»Inka« była przedstawicielką tego pokolenia, które podjęło walkę z narzuconym Polsce systemem komunistycznym. Odkąd powróciła do społecznej świadomości, zdobyła sobie serca młodych ludzi, upatrujących w jej postawie wzór do naśladowania.

salezjanek w Różanymstoku, wówczas jednak młodsza z sióstr do niej ostatecznie nie dotarła. Po wojnie za to przez kilka miesięcy uczyła się w szkole salezjańskiej w Nierośnie. Placówka została tam przeniesiona z Różanegostoku na czas koniecznych remontów. „Inka" wzrastała więc na pewnym etapie swojego życia w duchowej szkole św. Jana Bosko. W upowszechnionym ostatnio pamiętniku jej babci, Heleny Tymińskiej, odnajdujemy zapis, że pójście do szkoły było dla Danusi najpiękniejszym dniem w jej życiu. Dodajmy w tym miejscu, że głównym celem wychowawczym ks. Bosko, ojca i nauczyciela młodzieży, jak nazwał go św. Jan Paweł II, było to, aby oddani pod jego opiekę młodzi ludzie stawali się dobrymi chrześcijanami i prawymi obywatelami.

Historia Danki Siedzikówny potwierdza niezwykle mocno skuteczność takiego modelu wychowania. Sanitariuszka mjr. Zygmunta Szendzielarza „Łupaszki" wpisuje się w poczet wielu salezjańskich wychowanków, którzy podczas II wojny światowej i po jej zakończeniu dali wspaniałe świadectwo miłości do Boga i Ojczyzny. Ikoną tego pokolenia jest tzw. Poznańska Piątka męczenników wyniesionych na ołtarze przez Jana Pawła II: Czesław Jóźwiak, Edward Kaźmierski, Franciszek Kęsy, Edward Klinik, Jarogniew Wojciechowski. Wychowankowie salezjańskiego oratorium przy ul. Wronieckiej w Poznaniu, którzy po wybuchu wojny zaangażowali się w działalność w konspiracyjnej Narodowej Organizacji Bojowej, zostali aresztowani i skazani na śmierć. Wyrok wykonano przez zgilotynowanie w Dreźnie 24 sierpnia 1942 r. Podczas swojej męczeńskiej drogi dali świadectwo wiary w niebo i w nim się znaleźli. „Inka", jak wiemy z relacji ks. Mariana Prusaka, szła na egzekucję pojednana z Panem Bogiem w sakramencie pokuty, a więc także z wiarą w niebo.

Będąc pamiętnego września na cmentarzu, na którym wraz z prof. Szwagrzykiem pracowało wielu moich przyjaciół – m.in. Ania i Andrzej Kołakowscy z córka Marysią, prof. Piotr Niwiński, wielu kibiców Lechii Gdańsk – postanowiłem z odnalezionego grobu „Inki" wziąć garść ziemi, żeby upamiętnić jej piękną postać w jednej z salezjańskich placówek. Pomysł musiał poczekać na realizację. Wreszcie 1 marca 2015 r., w Narodowym Dniu Pamięci Żołnierzy Wyklętych, doczekaliśmy się oficjalnej informacji o identyfikacji „Inki" i „Zagończyka". Kiedy w Pałacu Prezydenckim w Warszawie wręczano rodzinie notę identyfikacyjną, w Gdańsku trwała właśnie defilada Żołnierzy Wyklętych, kapitalny pomysł Adama Hlebowicza, w który włączyliśmy się jako środowiska kibicowskie. Chodziło o to, aby zorganizować defiladę zwycięstwa, taką, jakiej nigdy nie doczekali się żołnierze Polskiego Państwa Podziemnego i Polskich Sił Zbrojnych na Zachodzie. Kiedy dostaliśmy sygnał o wręczeniu noty identyfikacyjnej „Inki", kibice odpalili setki rac, przez kilka minut skandując imię naszej Bohaterki. Wielu uczestników defilady płakało ze wzruszenia.

Pierwsza była Piła

Zaraz potem zaczęły się dyskusje związane z uroczystym pochówkiem „Inki" i „Zagończyka". Rodziny zdecydowały, że oboje spoczną na cmentarzu, na którym odnaleziono ich doczesne szczątki. Niezmordowani Ania i Andrzej Kołakowscy postanowili w gronie zaprzyjaźnionych środowisk upamiętnić miejsce odnalezienia grobów żołnierzy 5. Wileńskiej Brygady AK. Tak powstała pamiątkowa tablica na cmentarzu Garnizonowym.

Powróciłem wówczas do pomysłu upamiętnienia „Inki" w środowisku salezjańskim. W ramach Pilskich Dni Pamięci Żołnierzy Wyklętych postanowiliśmy 1 marca 2016 r. odsłonić w kościele Świętej Rodziny okolicznościową tablicę ze srebrną urną w kształcie serca, do której miała zostać złożona ziemia z grobu „Inki". Ogłosiliśmy w parafii i szkole salezjańskiej zbiórkę srebra na ten cel. Pomysł był taki, żeby zebrać pojedyncze kolczyki, zerwane łańcuszki, nieużywane pierścionki i przetopić je w „Serce dla Inki". Nasza akcja miała mieć regionalny charakter, jednak po nagłośnieniu inicjatywy przez ogólnopolskie pisma („Gościa Niedzielnego", „Gazetę Polską", „Gazetę Polską Codziennie", „Rzeczpospolitą", „Gazetę Warszawską"), portale internetowe, rozgłośnie radiowe czy też profil wydarzenia na Facebooku, przyjęła ona charakter ogólnopolski, a nawet ogólnoświatowy. Dary w postaci srebrnej biżuterii, monet i innych przedmiotów napłynęły do nas drogą pocztową z wielu miejsc Polski, a także z Niemiec, Norwegii i Stanów Zjednoczonych. Mieszkańcy Piły systematycznie przynosili srebrne kosztowności do kancelarii parafialnej. Uzbierało się ich tyle, że musieliśmy zrezygnować z początkowych projektów umieszczenia małego serca na pamiątkowym epitafium na rzecz większej urny w kształcie serca, która została zainstalowana nad pamiątkową tablicą na jednym z filarów kościoła Świętej Rodziny w Pile. Zadzwoniłem wówczas do Janusza Rybińskiego z Krakowa, mojego przyjaciela jeszcze z czasów Federacji Młodzieży Walczącej, z którym wspólnie działamy w wielkopolskim okręgu Związku Żołnierzy Narodowych Sił Zbrojnych, a który miał wykonać pierwsze „Serce dla Inki" – wykonał również następne – informując go, że koncepcja się zmieniła i trzeba szybko zrobić dużą urnę. Janusz pracował dzień i noc i się udało. „Inka" połączyła tak wiele patriotycznych serc w kraju i za granicą. Pomyślałem wówczas, że tę niezwykłą inicjatywę trzeba kontynuować.

Uroczystości w Pile wypadły okazale. Kościół wypełnił się mieszkańcami całego regionu, zwłaszcza młodzieżą. Mszę św. swoim śpiewem uświetnił chór miejscowych szkół salezjańskich. Zanim z prezbiterium ruszyła procesja, aby odsłonić tablicę, uczennice naszej szkoły, przygotowane przez s. Marię Bihun FMA, utworzyły szpaler z różami. Poruszający był moment, gdy dziewczyny, jedna po drugiej, mówiły głośno: „Jestem Inka, mam 17 lat i bardzo kocham swoją Ojczyznę! Nie zapomnimy". Tablicę umieszczoną na filarze między ołtarzem św. Jana Bosko a portretem św. Dominiki Marii Mazzarello odsłoniła siostra cioteczna Inki, Hanna Pawełek, wspólnie z siostrą salezjanką. Po Mszy św. przed kościołem kibice Lecha Poznań zorganizowali racowisko. Było odśpiewanie hymnu narodowego i okrzyki na cześć Danuty Siedzikówny: „Inko Wyklęta – Piła o Tobie pamięta!".

Zespół Szkół w Czarnem

Przy okazji pilskich uroczystości poznaliśmy wspaniałych ludzi z Czarnego w województwie pomorskim, którzy w tym samym czasie przygotowywali uroczystość nadania imienia Danuty Siedzikówny miejscowemu Zespołowi Szkół. Byli w tym gronie Lidia i Mariusz Biroszowie, aktywni społecznicy, którzy mimo wielu przeciwności doprowadzili sprawę do końca. Zaproponowałem, żeby na uroczystości nadania imienia „Inki" odsłonić kolejną tablicę ze srebrnym sercem. Nasi przyjaciele nie mogli w to uwierzyć i bardzo się wzruszyli. Szybko przygotowali tablicę zaprojektowaną przez Andrzeja Remusa.

Uroczystość w Czarnem odbyła się 17 czerwca 2016 r. Tak wielu znamienitych gości to niewielkie miasteczko nie gościło jeszcze w swojej historii. Dość wspomnieć o rodzinie „Inki", parlamentarzystach, przedstawicielach rządu, władzach wojewódzkich, powiatowych i miejskich, kierownictwie i historykach z Instytutu

Pamięci Narodowej z Gdańska, wojsku, leśnikach. Uroczystej Mszy św. na Rynku przewodniczył ordynariusz diecezji koszalińsko-kołobrzeskiej, bp Edward Dajczak, który poświęcił szkolny sztandar, zaprojektowany przez krakowiankę Olgę Sobczak. Przy sztandarze stali chrzestni: Danuta Ciesielska – siostrzenica Danki Siedzikówny – i prof. Jerzy Grzywacz, żołnierz Szarych Szeregów, uczestnik Powstania Warszawskiego, członek Światowego Związku Żołnierzy Armii Krajowej. Warto wspomnieć, że w tym dniu w Czarnem Stowarzyszenie Rodzin Leśnych uhonorowało Danutę Siedzikównę tytułem „leśnika stulecia".

Inicjatorzy tych uroczystości nie spoczęli na laurach. Powołali do życia Stowarzyszenie „Brygada Inki", które jest niezwykle aktywne w upamiętnianiu sanitariuszki 5. Wileńskiej Brygady AK, ale także innych Żołnierzy Wyklętych, włączając się czynnie w inicjatywy o charakterze ogólnopolskim. W grudniu 2017 r. w szkole im. Danuty Siedzikówny w Czarnem stowarzyszenie zorganizowało m.in. sympozjum „Inka wyzwala dobro". Udało się zgromadzić wiele ważnych postaci, które promują historię tej niezwykłej dziewczyny.

Parafia w Dziekanowie Leśnym

Wkrótce po uroczystościach w Czarnem pojawiły się kolejne środowiska, które chciały się włączyć w akcję „Serce dla Inki". Pierwsi dotarli do nas państwo Agnieszka i Marcin Bogdanowie ze Stowarzyszenia „Dobro Wspólne Ojczyzna" z Łomianek. Zorganizowali oni zbiórkę srebra i 5 marca 2017 r. w parafii Matki Bożej Królowej Rodzin w Dziekanowie Leśnym w gm. Łomianki przeżywaliśmy kolejny wzruszający moment upamiętnienia Danki Siedzikówny w formie srebrnej urny i okolicznościowej tablicy. Członkowie Stowarzyszenia „Dobro Wspólne Ojczyzna" wraz z ks. proboszczem Dariuszem Koskiem przygotowali wspaniałą uroczystość. Tablica ze srebrnym „Sercem dla Inki", dar mieszkańców Łomianek, została odsłonięta i poświęcona w obecności przedstawicieli rodziny „Inki", pocztów sztandarowych szkół, burmistrzów, asysty wojskowej, posłów i senatorów Rzeczypospolitej.

Wówczas zrodził się pomysł, abyśmy naszej inicjatywie nadali konkretny kształt. I tak tuż po 71. rocznicy śmierci Danuty Siedzikówny, 30 sierpnia 2017 r., na spotkaniu w Pile powołaliśmy ogólnopolską inicjatywę „Serce dla Inki". Ustaliliśmy, że chcemy nie tylko rozszerzać akcję „Serce dla Inki" o kolejne miejsca, lecz również działać na rzecz promocji jej postaci w środowiskach młodzieży poprzez media społecznościowe, wykłady, publikacje, koncerty oraz inne formy aktywności. Powołany został komitet wykonawczy w składzie: ks. dr Jarosław Wąsowicz SDB – przewodniczący; członkowie: Mariusz Birosz (prezes Stowarzyszenia „Brygada Inki" w Czarnem); Marcin Bogdan (prezes Stowarzyszenia Dobro Wspólne Ojczyzna w Łomiankach); Piotr Szubarczyk (Oddziałowe Biuro Edukacji Narodowej IPN w Gdańsku); sekretariat: Agnieszka Bogdan, Lidia Bojar-Birosz. W gronie członków honorowych znalazło się wiele znamienitych postaci, m.in. przedstawiciele rodziny „Inki" (Brunon Tymiński – brat matki „Inki", wspomniana Danuta Ciesielska, dr Anna Tertel – wnuczka siostry „Inki", Hanna i Maciej Pawełkowie – siostra stryjeczna „Inki" z mężem), prezes IPN dr Jarosław Szarek, wiceprezes IPN prof. Krzysztof Szwagrzyk oraz przewodniczący Kolegium IPN prof. Wojciech Polak.

Kościół św. Zygmunta w Warszawie

Komitet zajął się przygotowaniem kolejnych uroczystości w kościele św. Zygmunta na Starych Bielanach w Warszawie. Poświęcenie „Serca dla Inki" i odsłonięcie okolicznościowej tablicy odbyły się w tej świątyni 22 października 2017 r. Uroczystość wypadła okazale. Projektantką tablicy jest Anna Gulak, a wykonawcą Zenon Jakubowski. Rodzinę Danuty Siedzikówny reprezentowała dr Anna Tertel, która wygłosiła okolicznościowe przemówienie. Podczas uroczystości głos zabrał Tadeusz Płużański, prezes Fundacji „Łączka" i Społecznego Trybunału Narodowego – obywatelskiego sądu ds. zbrodni komunistycznych. Gościliśmy również niezastąpionego barda Żołnierzy Wyklętych Pawła Piekarczyka, który wykonał utwór poświęcony sanitariuszce „Łupaszki". Z gości należy jeszcze wymienić wolontariuszy z powązkowskiej „Łączki", grupy rekonstrukcyjne, kibiców Legii Warszawa i harcerzy.

Parafia św. Faustyny w Groszowicach i szkoła w Starych Drzewcach

Kolejne „Serce dla Inki" zostało umieszczone na ścianie kościoła św. Faustyny w Groszowicach (diecezja radomska) 1 marca 2018 r. Inicjatorką przedsięwzięcia była dr Bożena Grad, przewodnicząca Rady Gminy w Jedlni-Letnisku. Srebro zbierali harcerze i harcerki ZHR. Mszy św., podczas której poświęcono i odsłonięto tablicę „Serce dla Inki", przewodniczył bp Piotr Turzyński, który podczas homilii powiedział m.in.: „Życie Inki, jej ofiara, wydaje owoce. To ona nas porusza. To ona jest bohaterką. Stojąc na rozdrożu – Co zrobić? Jak żyć? – złożyła ofiarę. Wierna.

Wspomnienia uczestników pielgrzymki

Pątnicza droga przez Suwalszczyznę i Wileńszczyznę do Ostrej Bramy w deszczu i słońcu obfitowała w modlitwy, rozmowy i świadectwa. „Módlmy się o potrzebne łaski dla pracowników IPN i Muzeum Żołnierzy Wyklętych i Więźniów Politycznych PRL; prosimy cię Jezu o odnalezienie rtm. Witolda Pileckiego, gen. Augusta Fieldorfa „Nila", płk. Łukasza Cieplińskiego..." – można było usłyszeć wśród modlitewnych intencji w grupie żółtej, prowadzonej przez młodego salezjanina ks. Piotra Pączkowskiego – Jarosław Wróblewski.

Pielgrzymka do Ostrej Bramy to nie tylko lekcja pobożności, ale i patriotyzmu. Idziemy przez miejscowości związane z historią Polski i zamieszkałe w większości przez Polaków – Merecz, Orany, Ejszyszki, Koniuchy, Bogusze, Turgiele czy Soleczniki. W Butrymańcach odsłoniliśmy popiersie ze srebrnym sercem „Inki". Można powiedzieć, że jej duch cały czas nam towarzyszył w drodze wespół z piosenką, którą ułożył o niej jeden z pątników. Tam na Wileńszczyźnie polskość nabiera innego wymiaru – Leszek Kosakowski.

Po co mi to było? Właśnie po to, by przezwyciężyć swoje słabości, podziękować za łaski otrzymane albo zanieść intencje i prośby swoje, a także tych, którzy prosili, by przed cudownym obrazem szepnąć o nich Miłosiernej Matce. Właśnie po to się idzie na taką pielgrzymkę po przepięknej Wileńszczyźnie, po utraconych Kresach Rzeczypospolitej. Tam gdzie rodacy, z polsko bijącymi sercami, na ojcowiźnie witają braci z Korony uśmiechem, dobrym słowem, kwiatami i tym wszystkim, czym mogą się podzielić w myśl staropolskiej gościnności. Niezapomniane, wzruszające chwile, gdy idziesz po dywanie z kwiatów usypanym na drodze, a modlitwę pod drewnianym krzyżem, pamiętającym chwile, gdy Polska odzyskiwała niepodległość, intonuje piękną polszczyzną ponad dziewięćdziesięcioletnia babuleńka; gdy stajesz na cmentarzu w Koniuchach, by oddać hołd pomordowanym tylko za to, że byli Polakami; gdy wchodząc do kościoła w Turgielach mijasz bramę, tę samą, przez którą w wielkanocny kwietniowy poranek 1944 r. wychodziła z rezurekcji uwieczniona na znanym zdjęciu Kompania Szturmowa 3 Brygady Wileńskiej AK – Marek Nadolski.

Najbardziej wzruszające było spotykanie rodaków – co widać w nieukrywanych przez obie strony łzach – którzy będąc obywatelami Litwy (wcześniej sowieckimi) zachowali polskość i przyjmują nas z kresową gościnnością. Dla mnie najmocniejszym doznaniem było uświadomienie sobie, kiedy klęczałem patrząc w oblicze „Tej, co w Ostrej świeci Bramie", że Matka Miłosierdzia przygotowywała przez wieki miejsce do objawienia Jezusa Miłosiernego. I że nie mogło się to zdarzyć gdzie indziej – Piotr Życieński.

Wierna pewnej rodzinnej tradycji, patriotycznej, miłującej Polskę. Wierna Polsce. Wierna przyrzeczeniu, które złożyła jako żołnierz Armii Krajowej. Ona nas porusza. Weźmy jakąś mądrość z życia Inki. Bywa, że stajemy na rozstaju dróg i trzeba wybrać: prawość czy przewrotność, zasiadać w gronie szyderców czy kochać prawdę. Módlmy się, żebyśmy zawsze byli po stronie prawdy, po stronie prawych, po stronie wierności nawet wtedy, kiedy wymaga to jakiejś ofiary".

W czerwcu 2018 r. „Serce dla „Inki" powędrowało także do Starych Drzewc w województwie lubuskim. Decyzją dyrekcji miejscowej szkoły, rady pedagogicznej, rady rodziców oraz samych uczniów placówka przyjęła imię Danuty Siedzikówny. Uroczystość nadania imienia patronki i odsłonięcia tablicy ze srebrnym sercem odbyła się 16 czerwca 2018 r. w pięćdziesiątą rocznicę istnienia szkoły. Również i na tych uroczystościach pojawiło się wielu znamienitych gości, wśród nich niezwykle aktywni młodzi ludzie ze Stowarzyszenia Patriotyczny Głogów, którzy zaprezentowali przedstawienie *Zachowali się, jak trzeba*.

„Serce dla Inki" na Wileńszczyźnie

Ostatnie z dotychczasowych „Serc dla Inki" zostało odsłonięte i poświęcone 21 lipca 2018 r. w kościele św. Michała Archanioła w Butrymańcach na Wileńszczyźnie. Wpisane zostało w program Międzynarodowej Pieszej Pielgrzymki z Suwałk do Ostrej Bramy, organizowanej od 1991 r. przez salezjanów z inspektorii warszawskiej. Danka Siedzikówna została upamiętniona poza granicami naszego kraju, ale wśród swoich. Na tych ziemiach walczyli żołnierze, z którymi „Inka" u boku mjr. „Łupaszki" kontynuowała bój o wolną Polskę na Pomorzu Gdańskim. Poprzez „Serce dla Inki" chcieliśmy uczcić z naszymi rodakami setną rocznicę odzyskania niepodległości. Wileńszczyzna to przecież święta ziemia przesiąknięta krwią naszych narodowych męczenników, upominających się od czasów zaborów i przez lata okupacji niemieckiej i sowieckiej o wolność naszej Ojczyzny. ▪

Ks. Jarosław Wąsowicz (ur. 1973) – salezjanin, doktor historii, publicysta. Autor książek: *Niezależny ruch młodzieżowy w Gdańsku w latach 1981–1989* (2012); *Ksiądz Ignacy Błażewski SDB (1906–1939). Twórca oratorium w Rumi i męczennik za wiarę* (2017) i in.

BIULETYN IPN
PISMO O NAJNOWSZEJ HISTORII POLSKI
NR 9 (154), wrzesień 2018

תעודת כבוד

Dyplom Honorowy

Niniejszym zaświadcza się, że Rada ds Sprawiedliwych wśród Narodów Świata przy Instytucie Pamięci Narodowej "Yad Vashem" po zapoznaniu się ze złożoną dokumentacją postanowiła na posiedzeniu w dniu 30 · I · 1979 r. odznaczyć

Dr. Antoniego Docha oraz jego żonę

medalem Sprawiedliwych wśród Narodów Świata, w dowód uznania że z narażeniem własnego życia ratowali Żydów prześladowanych w latach okupacji hitlerowskiej. Wymienionym przyznaje się prawo zasadzenia pod ich imieniem drzewka w Alei Sprawiedliwych na Wzgórzu Pamięci w Jerozolimie.

Jerozolima, Izrael, dnia 9 · IV · 1989 r.

Medal i dyplom Sprawiedliwy wśród Narodów Świata dla Janiny i Antoniego Dochów. Fot. AIPN

Jakub Gołębiewski

Doktor Antoni Docha

Sprawiedliwy lekarz Grodzieńszczyzny

Pewnego dnia doktor Antoni Docha otrzymał gryps: „Panie kolego, jeśli jesteś chrześcijaninem, jeżeli wierzysz w Boga, musisz nam pomóc". Tak zaczęła się jego niezwykła misja ratowania Żydów.

„Grodno zawsze było dla moich rodziców takim miejscem, do którego się bardzo często jeździło. Dla nich to było takie miasto jak dziś dla nas Warszawa" – opowiada dr Teresa Król, córka Antoniego Dochy.

Jej ojciec był lekarzem we wsi Żukiewicze, nazywanej w dwudziestoleciu międzywojennym kolonią szlachecką, ponieważ mieszkańcy pamiętali jeszcze o swoim szlacheckim, zaściankowym rodowodzie. Żukiewicze nad rzeką Świsłocz były ojcowizną Antoniego; tam się urodził w 1894 r., tam dorastali on i jego rodzeństwo – pięciu braci i siostra. Bracia Dochowie rozjechali się po świecie; w majątku, z rodzicami zostali tylko Antoni i Maria. Gdy Antoni założył rodzinę i zdobył wykształcenie lekarskie, osiadł właśnie w Żukiewiczach. Z żoną Janiną z Bartoszewiczów, również lekarką, mieli trzy córki: Marię, Teresę i Barbarę. Marzeniem ojca było, by wszystkie trzy poszły w ślady rodziców. Żukiewicze były jego miejscem na ziemi, bardzo chciał tam wrócić i pracować. Dzisiaj gniazdo rodzinne Dochów znajduje się na Białorusi, prawie trzydzieści kilometrów od granicy z Polską i zaledwie dwadzieścia kilometrów od Grodna, blisko rzeki Niemen.

Antoni Docha. Fot. ze zbiorów Teresy Król

Lekarz społecznik

Antoni Docha ukończył gimnazjum w Grodnie w 1912 r. Dwa lata później rozpoczął studia na wydziale matematyczno-przyrodniczym Uniwersytetu Petersburskiego. W maju 1916 r. został wcielony do armii carskiej. Młody podchorąży służbę odbył w Taszkencie w Azji Środkowej. Według relacji córki Teresy, swój pobyt na wschodnich rubieżach Rosji wspominał jako jedno z najcięższych przeżyć: obserwował ludzkie cierpienie, biedę, choroby i sam ich doświadczył. Widział tę samą nędzę, którą przejmował się jako dziecko w rodzinnych stronach, pod Grodnem. Zdecydował, że poświęci życie służbie drugiemu człowiekowi.

W marcu 1918 r., już w stopniu podporucznika, zdezerterował z wojska i rozpoczął daleką drogę do domu przez Rosję ogarniętą rewolucją. W listopadzie 1918 r. wyruszył do Warszawy z zamiarem dostania się na studia medyczne. Trwał już rok akademicki i dołączenie do grona uczniów Wydziału Lekarskiego na Uniwersytecie Warszawskim wydawało się niemożliwe. Docha nie dał jednak za wygraną – poprosił o rozmowę dziekana wydziału, któremu przedstawił swoje losy w Rosji i powody spóźnionego przyjazdu. Gdy pokazał swój indeks z Uniwersytetu Petersburskiego i wymienił nazwiska profesorów, u których się uczył, dziekan bez wahania przyjął go na pierwszy rok studiów.

W lipcu 1920 r. Docha, student medycyny, otrzymał powołanie do służby wojskowej w grupie chirurgicznej pod Lwowem. „Najczęściej stawiano nas na bocznicę kolejową, tuż pod frontem, skąd bezpośrednio wszystkich ciężej rannych przywożono do nas" – pisał we wspomnieniach. W połowie sierpnia był świadkiem przybycia oddziału obrońców Lwowa do Zadwórza. 17 sierpnia rozegrała się w tym miejscu bitwa zwana polskimi Termopilami – 330 polskich ochotników bohatersko powstrzymało atak oddziałów Pierwszej Konnej Armii Siemiona Budionnego. Śmierć polskich żołnierzy wywarła na przyszłym lekarzu ogromne wrażenie. Po wojnie bolszewickiej szczęśliwie powrócił do Warszawy i w 1926 r. ukończył przerwane studia. Tuż po otrzymaniu dyplomu lekarskiego wrócił do Żukiewicz, gdzie rozpoczął prywatną praktykę lekarską.

> Doktor Docha był znany z tego, że nie dzielił ludzi ani ze względu na majątek, ani na wyznanie lub narodowość. Wychowany na twórczości Elizy Orzeszkowej, widział swoją powinność lekarza jako niesienie pomocy wszystkim potrzebującym.

Był wówczas jednym z niewielu lekarzy w okolicy. We wspomnieniach tak opisywał warunki, w jakich pracował w tamtych latach: „Telefonu nie miałem. O motocyklu mowy jeszcze nie było, ze względu na brak środków. O samochodzie marzyć nawet nie mogłem. Jedynym środkiem lokomocji były furmanki – z reguły jednokonne. I mój własny rower. I oto gdy śnieg zasypie drogi, gdy zadymka potworzy zaspy na szosie nie do przebycia, wtedy sam jeden – zrozumiejcie to dobrze, ja początkujący lekarz – sam jeden musiałem usiłować postawić możliwie prawidłowo rozpoznanie, sam jeden niosłem ciężką odpowiedzialność za życie ojców, matek, córek, synów, małych dzieci. A gdy trzeba jeszcze było jechać do porodu?". Niebawem okazało się, że Docha jest nie tylko dobrym medykiem, lecz również świetnym organizatorem. Wybrany przez radę gminną na wójta, cieszył się powszechnym szacunkiem ludzi prostych, a także okolicznych właścicieli ziemskich. Mimo trudnych warunków mieszkaniowych otworzył we własnym domu mały „szpitalik na trzy łóżka", w którym zatrzymywał chorych, gdy wymagała tego ich sytuacja. Później, z pomocą aptekarza z niedalekiej Indury, udało się zorganizować we wsi aptekę. Do Żukiewicz po poradę lekarską przyjeżdżali okoliczni mieszkańcy, ale też pacjenci z bardzo daleka. „Ojciec prowadził bardzo rozległą praktykę – opowiada Teresa Król. – Proszę sobie wyobrazić, że ja w Warszawie, gdy miałam własną praktykę i gabinet, to leczyłam dwóch pacjentów, którym pomagał jeszcze mój ojciec".

W Grodnie nie było wówczas wielu lekarzy. W mieście leczył Chaim Blumstein, znany chirurg, który pracował w tamtejszym szpitalu. Docha był internistą – obaj mieli do siebie wielkie zaufanie. „Ojciec sam załatwiał małe chirurgie, czyli wrzody, złamania itp. Ale gdy trzeba było operować, jeździł do Grodna z pacjentami i przekazywał ich Blumsteinowi" – mówi Teresa Król.

Doktor Docha był znany z tego, że nie dzielił ludzi ani ze względu na majątek, ani na wyznanie lub narodowość. Z Żydami żył dobrze, miał wielu żydowskich pacjentów i współpracowników, których odwiedzał w Grodnie. Wychowany na twórczości Elizy Orzeszkowej, widział swoją powinność lekarza jako niesienie pomocy wszystkim potrzebującym. Jego córka wspomina, że pomagał ludziom biednym, przyjmował ich bardzo chętnie. Wejście do domu doktora często tarasowały wozy okolicznych chłopów, których przyjmował za darmo lub za symboliczną opłatą.

„Mam przykazanie od Pana Boga, aby ratować Żydów"

Po powrocie z kampanii wrześniowej 1939 r. – służył w szpitalu polowym w Kowlu – Docha zgłosił się do sowieckiej rady powiatowej w Wielkich Ejsmontach i oświadczył, że chce pracować i pomagać ludziom, których dotychczas leczył. Był znanym wiejskim lekarzem – nie tylko wyrażono zgodę na kontynuowanie przez niego pracy w Żukiewiczach, lecz także powierzono mu organizację szpitala w majątku Massalany. Doktor, który miał zaufanie lokalnej społeczności, był dla Sowietów cenny, zarówno ze względu na wykonywany zawód, jak i propagandowo – oto znany w okolicy obywatel „odnalazł się" w nowej, radzieckiej rzeczywistości, więc może i innym „nie będzie tak źle". Docha traktował nominację od władz sowieckich na kierownika szpitala jako obowiązek do wypełnienia. We wspomnieniach pisał, że interesowali go jedynie powierzeni mu chorzy i możliwość kontynuowania pracy w Żukiewiczach. Duże wrażenie wywarło na nim zetknięcie się z ludźmi sowieckimi, jak to określił – „radziecką inteligencją". Wyśmiewał ideologię i slogany o Stalinie, z zaciekawieniem opisał nakazaną prawem „równość" obywateli, zapał, z jakim działacze sowieccy chcieli uspołecznić niepiśmiennych chłopów.

Od czerwca 1941 r., tj. od ataku Niemiec na ZSRS, Antoni Docha znów był wiejskim lekarzem. W 1942 r. niemieckie władze okupacyjne przydzieliły mu zadanie zarządzania ambulatorium lekarskim w Żukiewiczach i ośrodkiem zdrowia w Indurze. Doktor przeniósł się tam z rodziną i znów jeździł po okolicy, lecząc pacjentów. „Jeńcy radzieccy tysiącami ginęli w obozach z nędzy i głodu. Żydów umieszczono na początku w małych gettach, później przewieziono ich do większych miast, a dopiero z wielkich miast przewożono ich do specjalnych miejsc straceń [...]. Polaków chwytano w mieszkaniach prywatnych, na ulicach, w kawiarniach, w restauracjach itd. W najgorszym wypadku tracono ich, ocalałych zaś tysiącami odsyłano na przymusowe roboty w Niemczech" – pisał Docha o bestialstwie Niemców.

„To był rok 1943, ja się urodziłam w tym roku. Mama była tuż po porodzie moim, ojciec przyszedł do mamy i powiedział: przywieźli Żydów" – opowiada Teresa Król. Pewnego dnia, jeszcze przed likwidacją getta w Grodnie, Docha otrzymał gryps – ktoś nieznajomy przyniósł mu małą karteczkę, na której było napisane: „Panie kolego, jeśli jesteś chrześcijaninem, jeżeli wierzysz w Boga, musisz nam pomóc". Gryps był od doktora Chaima Blumsteina, który prosił o ratunek dla siebie i swojej rodziny. Docha nie mógł przyjąć zbiegów z getta w swoim domu, ponieważ mała przychodnia, którą prowadził, była miejscem publicznym – ciągle przychodzili nowi pacjenci, a nawet żołnierze niemieccy. Znalazł jednak wśród swoich podopiecznych rodzinę Staniewskich ze wsi Staniewicze, którzy zgodzili się przygarnąć Blumsteinów. Mieszkali oni na skraju małej kolonii, z dala od innych zabudowań – ciężko chory ojciec, matka i dorastająca córka. Z getta wydostano najpierw Esterę Blumstein z jednym synem, następnie uciekli doktor i drugi syn. Tak po latach opisała to Janina Docha: „W Grodnie miałam znajomego, pana Siewkę, który pracował kiedyś ze mną. On podjął się wyprowadzenia i przyjęcia »na chwilę« do siebie tych Żydów, a potem odwiezienia do Staniewicz. Siewko nie był zbyt pewnym człowiekiem, bo pił, ale nie było innego wyjścia, bo nie było nikogo innego. W Żukiewiczach mieliśmy sąsiada, Michała, kierowcę, który pomagał w różnych pracach technicznych [w przychodni], on zgodził się przewieźć tę rodzinę na kolonię samochodem". Antoni Docha pojechał z nim po rodzinę Blumsteinów do Grodna. „Wynajęliśmy ciężarowy niemiecki samochód – wspominał – położyliśmy na podłodze samochodu całą rodzinę doktora Blumsteina, narzucaliśmy na nich różnych szmat, na szmatach umieściliśmy różny sprzęt, przeważnie drewniany, i pojechaliśmy. Tak przedefilowaliśmy przed pierwszym posterunkiem żandarmerii niemieckiej w Kopciówce. Równie szczęśliwie przedefilowaliśmy przed drugim posterunkiem żandarmerii w Indurze. Ponieważ te posterunki znajdowały sie tuż przy szosie, mieliśmy naprawdę wielkiego stracha, gdyż Niemcy mogli skontrolować zawartość samochodu, a wtedy po nas! Toteż kierowca załamał się zupełnie: bał się już przejeżdżać przed trzecim posterunkiem. I w pewnym miejscu zatrzymał samochód i mówi: »Idźcie do ciężkiego diabła razem z waszymi Żydami! Mam tego dość! A wy tam wyłaźcie spod nakrycia, a prędko!«". Kryjówka przygotowana przy gospodarstwie Staniewskich była już niedaleko – na miejsce dotarli pieszo.

Teresa Król przypomina sobie relację ojca, że razem z rodziną Blumsteinów w ciężarówce przewieziono także innych Żydów – małżeństwo adwokatów z Wilna i jeszcze kilka osób; razem było ich około dzie sięciu. W domu Staniewskich, w bocznym pokoiku, wykopano schron. Żydzi siedzieli w tym w schronie, a jedna osoba stale pilnowała w oknie. W razie pojawienia się kogoś obcego w gospodarstwie miała ostrzec pozostałych. Najtrudniejsze było dostarczanie żywności, ponieważ pobieranie większej ilości mąki w młynie mogło zwrócić uwagę władz niemieckich i ludzi niepewnych. Także w tej sprawie Docha okazał się świetnym organizatorem i pomoc dla Żydów udało się utrzymać w tajemnicy. Doktor pomagał i innym potrzebującym: w prowadzonym przez siebie szpitaliku w Indurze zameldował wiele osób, którym dał fikcyjne, a jeśli posiadały kwalifikacje – prawdziwe zatrudnienie. „Byli to przede wszystkim Polacy zagrożeni wywiezieniem

> Decyzja o pomocy Żydom była jedną z najtrudniejszych, jakie podjęli Dochowie – żyli odtąd w ciągłym napięciu.

na roboty przymusowe do Niemiec – mówi Teresa Król. – Ja i moje siostry miałyśmy po kilka nianiek, w szpitaliku pracowało kilka »pielęgniarek« i wszyscy wiedzieli naokoło, że ojciec pomaga w ten sposób wielu osobom".

Wieści o dobrym doktorze, który może pomóc w potrzebie, rozniosły się. Pewnego dnia, gdy Docha wracał ze szpitala, podeszły do niego dwie młode dziewczyny, które poprosiły o zatrudnienie w ośrodku zdrowia. Doktor zorientował się od razu, że są Żydówkami, i powiedział im otwarcie, że obawia się o los swojej rodziny. To były Helena Bibliowicz i Fannia Lubitch. Przyznały, że uciekły z getta w Grodnie, i prosiły o ratunek. Bibliowicz zapamiętała odpowiedź doktora: „Jesteście Żydówkami. Jak was znajdą, to zabiją mnie, was oraz moją żonę i córki. [...] Mam przykazanie od Pana Boga Wszechmogącego, aby ratować cierpiących Żydów, ale nie wiem, czy mam rację. [...] Jeśli Bóg otoczył was swoją opieką i przywiódł tutaj z getta, a Niemcy was nie znaleźli, to ja wam pomogę". Doktor umieścił obie Żydówki u znajomych wieśniaków.

W tym czasie, gdy Docha organizował miejsce dla kolejnych uratowanych z getta, w okolicach Grodna Niemcy spalili całą wieś, w której nauczyciel przechowywał kilkoro Żydów. Na wieść o tym Janina Docha, która była wówczas sama w domu, zabrała swoje córki i uciekła w pole. Po pewnym czasie ochłonęła i wróciła. Decyzja o pomocy była jedną z najtrudniejszych, jakie małżonkowie podjęli – żyli odtąd w ciągłym napięciu. Pewnego dnia pani Staniewska przyszła po doktora Dochę. Starszy syn Chaima Blumsteina nie mógł już wytrzymać nerwowo ukrywania się. Wychodził na zewnątrz domu i przeraźliwie krzyczał. „Ojciec natychmiast tam pojechał. Wziął swój nagan i pokazał go chłopakowi. Powiedział: »Jeśli odważysz się wyjść poza obręb mieszkania, zabiję cię jak psa. Siedź cicho, masz ślepo słuchać rozkazów«". Opowiadał później córkom, że nigdy nie wyrządziłby mu krzywdy, musiał jednak w jakiś sposób zmusić go do posłuchu. Do okolicznych mieszkańców docierało coraz więcej informacji o akcjach partyzantów i odwecie Niemców. Okupanci za pomoc dla partyzantki polskiej, żydowskiej i sowieckiej zabijali i palili całe wsie. Kiedyś, gdy do osady przechowującej Blumsteinów dotarła wiadomość o niemieckich zbrodniach, gospodyni, u której mieszkali Żydzi, załamała się psychicznie, dostała ataku nerwowego i była gotowa zdradzić kryjówkę Niemcom. „Blumstein z synami chwycili ją, związali, zawlekli do schronu pod podłogą, żeby ochłonęła i przyszła do przytomności. Wytłumaczyłem jej, że już nie pora się cofać, że trzeba za wszelką cenę wytrwać do końca, żeby nie zginąć nam wszystkim" – pisał Docha we wspomnieniach.

Trudne okazało się także przechowywanie obu młodych Żydówek, które odnalazły doktora w Indurze. Początkowo nie zdawały sobie sprawy z tego, w jakim niebezpieczeństwie się znajdowały i że śmierć grozi nie tylko im samym oraz rodzinie, która je przechowywała, lecz wszystkim, którzy mieszkali w pobliżu. Młode kobiety nie umiały zachować ostrożności i wkrótce cała okolica zaczęła się domyślać, gdzie są ukrywani Żydzi. Doktor znów musiał ratować sytuację: „Gospodyni napisała do mnie list, kategorycznie w nim żądając, żebym zabrał z osady te dwie głupie dziewczyny". Docha obawiał się, że tym razem nie uda się już znaleźć dla nich schronienia. Zdecydował się użyć podstępu. W obecności właścicieli gospodarstwa powiedział do uciekinierek: „Przez waszą lekkomyślność zasłużyłyście na śmierć, ponieważ nikt więcej nie zechce was przechowywać. Wszyscy boją się waszej głupoty i Niemców, więc postanowiłem was zabić. Mam ze sobą morfinę, wstrzyknę wam".

Gospodyni i jej rodzina nie spodziewali się takiej postawy doktora i pozwolili zostać dziewczynom, gdy te na kolanach zaczęły prosić o ratunek. „Wtedy mój ojciec zarządził modlitwę – opowiada Teresa Król. – Wszyscy, domownicy, obie Żydówki i ojciec uklęknęli razem i odmówili litanię do Serca Pana Jezusa. Na koniec obie ukrywane kobiety przysięgły na krzyż [!], że nie będą wychodzić na zewnątrz i odtąd ślepo będą słuchać swoich wybawicieli". Pod wpływem tych przeżyć Helena Bibliowicz przyjęła później chrzest w Kościele katolickim. Obie kobiety doczekały w ukryciu do wejścia armii sowieckiej, a po wojnie wyjechały z Polski. Również Blumsteinom udało się pozostać w ukryciu i zachować życie.

W historii sprawiedliwego doktora był jednak moment, gdy wydawało się, że wszystko jest stracone, a los jego i jego bliskich jest przypieczętowany. Pod koniec 1943 r. otrzymał wiadomość, że w gestapo złożono na niego donos, że przechowuje i żywi doktora Blumsteina. „Ojciec był wtedy jedynym właściwie lekarzem w okolicy. Tak się złożyło – to Pan Bóg tak dał – że ojciec leczył komisarza niemieckiego. Niemiec ten, który był bezwzględny dla okolicznej ludności, ufał ojcu i pozwalał na konieczne zabiegi. Był bardzo otyły, miał zaawansowaną cukrzycę powodującą owrzodzenie gardła i ogromny ból. Mój ojciec operował te wrzody i w ten sposób zdobył szacunek Niemca". Doktor wiedział już o donosie, gdy po raz kolejny został wezwany na gestapo, do chorego komisarza. Poszedł tam bez wahania. „Przechowujesz Żydów, wiem o tym – powiedział mu bez ogródek Niemiec – mam tu na ciebie donos. Patrz". Pokazał doktorowi kartkę i podarł ją na jego oczach. „Zostaw to, nie rób tego dłużej. Ja to zniszczyłem, ale pamiętaj: życie twoje i twojej rodziny jest w niebezpieczeństwie". Pół roku później do Grodna weszli Sowieci.

W nowym świecie

Po wojnie Blumsteinowie przenieśli się do Łodzi, tam umarł doktor Chaim. Po śmierci męża Estera Blumstein i synowie – Anatol (Nataniel) i Aleksander – wyemigrowali do Francji. Anatol ukończył medycynę, jednak nie praktykował jako lekarz; dziś już nie żyje. Aleksander studiował fizykę, później wyjechał do Stanów Zjednoczonych, gdzie zrobił karierę naukową. Ożenił się z ocalałą z Zagłady polską Żydówką; meszka w Kalifornii. Fannia Lubitch i Helena Bibliowicz też wyemigrowały z Polski. Lubitch poznała swego męża w Białymstoku i wyjechała z nim do Ameryki Południowej. Bibliowicz osiedliła się w USA. Do końca życia utrzymywała serdeczny kontakt z Janiną Dochową, Teresą Król i jej rodziną.

Antoni Docha od „wyzwolenia" Grodzieńszczyzny latem 1944 r. aż do kwietnia 1946 r. był dyrektorem szpitala rejonowego w Bojarach koło Indury. Placówkę organizował od podstaw. Razem z żoną nie zgodzili się na podpisanie listu do Stalina, w którym ludność z okolic Grodna prosiła o przyłączenie do ZSRS. Gdy stało się jasne, że Grodno i ukochane Żukiewicze zostaną oderwane od Polski, małżonkowie zdecydowali się uciec, nie prosząc o zezwolenie ani nie starając się o dokumenty repatriacyjne. Oboje byli lekarzami; obawiali się, że władze sowieckie nie zezwolą na ich wyjazd. W kwietniu 1946 r. razem z dziećmi i siostrą Antoniego, Marią, oraz jej córką przekroczyli granicę polsko-sowiecką.

Początkowo trafili na Pomorze Zachodnie, gdzie organizował szpital przyjaciel i towarzysz doktora Dochy z czasów jego pobytu w Taszkencie. Ostatecznie osiedlili się jednak w Kuźnicy Grodzieńskiej. Antoni za nic nie chciał opuścić Grodzieńszczyzny.

Jak mówi doktor Teresa Król – nie mógł znieść niemieckich budowli z czerwonej cegły i szarego krajobrazu, zupełnie niepodobnego do nadniemeńskich wsi. W 1947 r. powierzono mu zadanie zorganizowania ośrodka zdrowia najpierw w Kuźnicy, później w Sokółce, która stała się nowym domem rodziny Dochów. Ośrodek w Sokółce dzięki doktorowi stał się wkrótce szpitalem powiatowym.

„Doktor Docha sprzeciwił się żądaniu władz komunistycznych, aby zdjąć krzyże ze ścian w salach. Został za to odwołany."

„Moim zadaniem od drugiej klasy szkoły podstawowej była pomoc ojcu w gabinecie lekarskim, który prowadził u nas w domu. Musiałam pomagać, jak tylko przychodziłam ze szkoły. Ojciec mówił »Tereniu, proszę do gabinetu«. No i Terenia szła do gabinetu. A jak ojciec robił małą chirurgię, to kto będzie pomagał przy zabiegu? – Terenia oczywiście. Czasami miałam tak dość, ale ojciec był w tak wielkim szacunku, że nie można było powiedzieć ani słowa" – opowiada doktor Teresa Król. I dzięki ojcu została lekarzem.

Doktor Docha był dyrektorem szpitala w Sokółce – tego, który sam założył i organizował od podstaw – do 1957 r. Wówczas bowiem sprzeciwił się żądaniu władz komunistycznych, aby zdjąć krzyże ze ścian w salach szpitalnych. Został za to odwołany.

Prywatną praktykę prowadził do ostatnich lat życia. Zmarł w 1978 r. Papież Paweł VI wyróżnił go medalem Pro Ecclesia et Pontifice. Małżonkowie w 1989 r. otrzymali medal „Sprawiedliwy wśród Narodów Świata". W latach dziewięćdziesiątych Rada Miejska w Sokółce nadała jednej z ulic imię Antoniego i Janiny Dochów. ▪

Jakub Gołębiewski (ur. 1979) – historyk, pracownik IPN, członek redakcji „Biuletynu IPN". Redaktor książki *Aparat represji wobec ks. Jerzego Popiełuszki 1984,* t. 2 (2014). Zajmuje się dziejami Kościoła katolickiego w Polsce po 1945 r.

BIULETYN IPN
PISMO O NAJNOWSZEJ HISTORII POLSKI
NR 9 (154), wrzesień 2018

Ława oskarżonych w procesie Szesnastu, Moskwa, czerwiec 1945 r. Fot. Wikimedia Commons

Sławomir Kalbarczyk

Proces Szesnastu we wspomnieniach oskarżyciela

„Wszyscy obiektywnie myślący ludzie uważają, że proces był obiektywny".

Wiaczesław Mołotow[1]

Literatura historyczna dotycząca słynnego procesu przywódców podziemnej Polski jest obfita. W źródłach sowieckich długo jednak brakowało informacji, jakie cele polityczne stawiały przed sobą władze ZSRS, decydując się na nadanie temu procesowi charakteru pokazowego. Zmieniły to dopiero wspomnienia Nikołaja Afanasjewa.

[1] Minister spraw zagranicznych ZSRS w rozmowie ze Stanisławem Mikołajczykiem odbytej 27 czerwca 1945 r. w Moskwie (*Iz dniewnika W.M. Mołotowa, Zapiś biesiedy s wice-priemjerom polskogo Wriemiennogo prawitielstwa nacyonalnogo jedinstwa S. Mikołajczikom po woprosu oswobożdienia polakow, osużdionnych po „processu 16-ti"*, [w:] *Sowietskij faktor w Wostocznoj Jewropie 1944–1953. Dokumienty*, t. 1: *1944–1948*, Moskwa 1999, s. 204).

Wcześniej cele te badacze określali na podstawie innych źródeł, np. brytyjskich, albo też biorąc za podstawę swych twierdzeń „logikę" procesu historycznego. I tak np. Eugeniusz Duraczyński, autor jednej z pierwszych monografii tego wydarzenia, twierdził za jednym z dokumentów brytyjskich, że proces miał przede wszystkim zdyskredytować rząd polski w Londynie oraz – w dalszej kolejności – potencjalną opozycję w Polsce. Od siebie Duraczyński dodawał, że proces moskiewski miał obciążyć polityczną „hipotekę" lidera ludowców Stanisława Mikołajczyka, zawierającego ugodę z Moskwą w chwili, kiedy skazywano polskich przywódców – w tym jego partyjnych kolegów[2].

Inny badacz, Andrzej Chmielarz, nie powołując się zresztą na żadne źródła, wyraził pogląd, że proces Szesnastu miał „skompromitować w oczach międzynarodowej opinii publicznej kierownictwo Polski Podziemnej, jak i Polaków sprzeciwiających się narzuceniu sowieckiej dominacji"[3]. Jego zdaniem czas wybrany na przeprowadzenie procesu był nieprzypadkowy: zbiegł się on z konsultacjami prowadzonymi w Moskwie w sprawie powołania – zgodnie z postanowieniami konferencji jałtańskiej – Tymczasowego Rządu Jedności Narodowej. Należy go więc uznać – według Chmielarza – za „brutalną formę nacisku, która miała pomóc w przeforsowaniu stalinowskiej idei powojennej Polski"[4].

Ogólniej zamysł sowiecki zdiagnozował Andrzej Skrzypek, pisząc: „Stworzona przez proces atmosfera miała uzmysławiać, kto w Polsce rzeczywiście rządzi i dlaczego jedne ze stronnictw mogą otrzymać koncesje na działalność polityczną, a inne nie"[5]. Warto przywołać jeszcze jedno wytłumaczenie procesu podawane przez historyków: miał on, mianowicie, dowodzić aliantom zachodnim, że „propozycje sowieckie odnośnie [do] składu nowego rządu [tj. TRJN] (gros władzy w rękach przedstawicieli [dotychczasowego] Rządu Tymczasowego)

---

[2] E. Duraczyński, *Generał Iwanow zaprasza. Przywódcy podziemnego państwa polskiego przed sądem moskiewskim*, Warszawa 1989, s. 157.

[3] A. Chmielarz, *Sprawa szesnastu*, [w:] A. Chmielarz, A.K. Kunert, E. Piontek, *Proces moskiewski przywódców Polskiego Państwa Podziemnego*, Warszawa 2000, s. 29; A. Chmielarz, *Sprawa szesnastu przywódców Polskiego Państwa Podziemnego*, [w:] *Z „Czarnej księgi" komunizmu. NKWD, „Smiersz" i „Informacja" WP w Warszawie i okolicach 1944–1945*, Warszawa 2014, s. 60.

[4] A. Chmielarz, *Sprawa szesnastu przywódców...*, s. 60.

[5] A. Skrzypek, *Mechanizmy uzależnienia. Stosunki polsko-radzieckie 1944–1957*, Pułtusk 2002, s. 89.

Iwan Sierow, 1956 r. Fot. Wikimedia Commons

są jedyne do przyjęcia"[6]. Przytaczając te opinie, nie zamierzamy twierdzić, że nie są one trafne. Musimy jednak zauważyć, że w większości powstały one w czasach, kiedy niektóre źródła nie były jeszcze dostępne, co zmuszało badaczy do snucia mniej czy bardziej uzasadnionych hipotez.

Obecnie można poddać je weryfikacji, uwzględniając źródło, które pojawiło się w 2000 r., ale do dzisiaj praktycznie nie weszło do obiegu naukowego. Chodzi o wspomnienia państwowego oskarżyciela na procesie Szesnastu, gen. lejtnanta sprawiedliwości Nikołaja Afanasjewa[7]. Jest to jedyne źródło proweniencji sowieckiej, które przynosi informacje o tym, jakie cele stawiała sobie strona sowiecka, czyli *de facto* Józef Stalin, podejmując decyzję o urządzeniu aresztowanym przywódcom Polskiego Państwa Podziemnego publicznego procesu w stolicy ZSRS.

Bo chociaż w niektórych dokumentach sowieckich można znaleźć interesujące informacje o przygotowaniach do procesu, nie dają one jasności na temat celów, jakie przed nim stawiano. Mam tu w szczególności na myśli enigmatycznie brzmiącą propozycję ludowego komisarza spraw wewnętrznych ZSRS Ławrientija Berii i ludowego komisarza bezpieczeństwa państwowego Wsiewołoda Mierkułowa, przedłożoną Stalinowi 31 maja 1945 r., w której sugerowano, by całość lub przynajmniej część procesu miała charakter otwarty, co miało – zdaniem jej autorów – „wywołać korzystniejsze wrażenie, niż gdyby cały proces odbywał się przy drzwiach zamkniętych"[8].

---

[6] *Proces Szesnastu. Dokumenty NKWD*, wstęp W. Strzałkowski, oprac. A. Chmielarz, A.K. Kunert, Warszawa 1995, s. 7.

[7] *Kogda rasstrieliwali prokurorow (Wospominanija Gławnogo wojennogo prokurora gienierał-liejtienanta justicyi Afanasjewa N.P.*, [w:] S.J. Uszakow, A.A. Stykałow, *Front wojennych prokurorow*, Moskwa 2000.

[8] Cyt. za: *NKWD i polskie podziemie 1944–1945. Z „teczek specjalnych" Józefa W. Stalina*, red. A.F. Noskowa, A. Fitowa, Kraków 1998, s. 183.

Nikołaj Afanasjew podczas procesu, Moskwa, 1945 r.
Fot. AIPN

Człowiek od brudnej roboty

Kilka słów o autorze wspomnień. Urodzony w 1902 r., karierę rozpoczął w drugiej połowie lat dwudziestych, zajmując różne stanowiska w wojskowej prokuraturze Armii Czerwonej – głównie w terenie. W końcu 1939 r. kolejna czystka, która objęła ludzi wszechpotężnego do niedawna szefa NKWD Nikołaja Jeżowa, wyniosła go na wysokie stanowisko zastępcy naczelnego prokuratora wojskowego Armii Czerwonej. Afanasjew wziął zresztą osobisty udział w rozprawie z Jeżowem: przesłuchiwał go w więzieniu lefortowskim, napisał akt oskarżenia zbrodniczego komisarza, a także uczestniczył w jego procesie przed Kolegium Wojskowym Sądu Najwyższego ZSRS oraz egzekucji. W 1942 r. objął nowe stanowisko – głównego prokuratora wojskowego transportu kolejowego, na którym pozostawał do marca 1945 r. Następnie został głównym prokuratorem wojskowym Armii Czerwonej, dzięki czemu wkrótce zetknął się ze sprawą aresztowanych przywódców Polskiego Państwa Podziemnego. We wspomnianej już propozycji z 31 maja 1945 r. Beria z Mierkułowem wysunęli kandydatury Afanasjewa i prokuratora Ukraińskiej SRS Romana Rudenki na oskarżycieli państwowych w procesie aresztowanych Polaków – co zostało zaaprobowane przez Biuro Polityczne KC Wszechzwiązkowej Komunistycznej Partii (bolszewików) 13 czerwca.

Afanasjew aktywnie uczestniczył w przygotowaniach do procesu: m.in. 4 czerwca 1945 r. przełuchał gen. Leopolda Okulickiego, a cztery dni później – wraz z Rudenką – przeprowadził konfrontację Okulickiego z Kazimierzem Pużakiem. „Dziełem" Afanasjewa był też akt oskarżenia, przygotowany 14 czerwca 1945 r. Podczas procesu Afanasjew przejawiał szczególne zainteresowanie konspiracyjną organizacją „Nie"[9].

---

[9] E. Duraczyński, *Generał Iwanow...*, s. 169.

Leopold Okulicki podczas procesu, Moskwa, 1945 r. Fot. AIPN

Kariera tego prokuratora okazała się dość typowa dla czasów stalinowskich: w 1950 r. wysunięto wobec niego sfabrykowane zarzuty, co skończyło się zdjęciem ze stanowiska i usunięciem z wojska. Po śmierci Stalina został zrehabilitowany, ale z uwagi na stan zdrowia do pracy już nigdy nie wrócił. Zmarł 15 marca 1979 r.[10]

Z czasów swojej pracy w sowieckiej prokuraturze wojskowej Afanasjew napisał wspomnienia, które ujrzały światło dzienne w 2000 r. Zawierają one frapującą informację o naradzie u Stalina, która odbyła się późnym wieczorem w pierwszych dniach czerwca 1945 r. Mieli w niej uczestniczyć: Michaił Kalinin – przewodniczący Prezydium Rady Najwyższej ZSRS, Mołotow, Beria, Gieorgij Malenkow – sekretarz KC, Andriej Wyszynski – zastępca ludowego komisarza spraw zagranicznych, Aleksander Szczerbakow – sekretarz KC i zastępca członka Biura Politycznego WKP(b) oraz Iwan Sierow – zastępca Berii.

Ton spotkaniu, które poświęcone było aresztowanym przez Sierowa przywódcom Polskiego Państwa Podziemnego, nadawał – oczywiście – Stalin. Sowieckiego dyktatora interesowało przede wszystkim to, czy materiał śledczy pozwala na proces publiczny, a dowiedziawszy się od Afanasjewa, że Sierow złamał gwarancję nietykalności daną Polakom na czas rozmów, polecił mu „neutralizować" wpływ tego „epizodu", gdyby wyszedł na jaw w trakcie procesu. Następnie sformułował cele procesu, mówiąc: „Nie chodzi w ostatecznym rozrachunku o Okulickiego i jego emisariuszy, lecz o to, że trzeba wytrącić wszystkie atuty z rąk [premiera Wielkiej Brytanii Winstona] Churchilla i nie dopuścić do zainstalowania reżimu Mikołajczyka w Polsce, człowieka wrogo nastawionego do Związku Sowieckiego.

[10] Dane biograficzne podano na podstawie wspomnień samego Afanasjewa. W słownikach biograficznych okresu stalinowskiego trudno znaleźć jego życiorys.

W Polsce powinien być Rząd Ludowy – a Churchill ciągle swoje, chce poprzedniego rządu na czele z Mikołajczykiem. Nie możemy do tego dopuścić, dlatego Mikołajczyka i jego bandę trzeba zdemaskować przed ludźmi i zdyskredytować tak, żeby wszyscy, a w pierwszej kolejności Churchill, zrozumieli, że Mikołajczyka i jego kompanii w Polsce nie będzie"[11].

Ile prawdy u Afanasjewa?

Zacznijmy od elementarnego pytania: czy jakiekolwiek źródło potwierdza, że na początku czerwca 1945 r. odbyła się u Stalina narada, w której brali udział Afanasjew i inne podane przez niego osoby? Okazuje się, że tak, i nie są to kolejne wspomnienia, lecz dokument urzędowy – zeszyty prowadzone przez ochronę Kremla, w których zapisywano wszystkie osoby wchodzące do i wychodzące z gabinetu sowieckiego dyktatora. Z zeszytów tych, które zresztą w pewnych kwestiach korygują wspomnienia Afanasjewa, wynika, że 12 czerwca 1945 r. o godz. 21.35 do gabinetu Stalina weszli: Nikołaj Afanasjew, Andriej Wyszynski, Roman Rudenko oraz gen. Lew Włodzimirski[12]. W środku znajdowali się przybyli wcześniej: Mołotow, Anastas Mikojan (członek Biura Politycznego), Beria, Malenkow i Nikołaj Bułganin (zastępca ludowego komisarza obrony ZSRS). Cztery doproszone osoby, w tym Afanasjew, przebywały u Stalina nieco ponad pół godziny i o 22.10 opuściły jego gabinet; Mołotow i reszta gości pozostali w nim aż do północy.

Niestety, stenogramów z tego typu narad nie prowadzono. Nie wiemy zatem wprost, o czym rozmawiano, ale czwórkę, która 12 czerwca 1945 r. około wpół do dziesiątej wieczorem weszła do gabinetu Stalina, łączyło jedno: związek ze sprawą aresztowanych przywódców Polskiego Państwa Podziemnego.

Afanasjew i Rudenko, jak już wspomniano, byli szykowani do roli oskarżycieli w procesie. Włodzimirski był szefem Wydziału Śledczego do Spraw Szczególnej Wagi NKGB i kierował śledztwem w sprawie szesnastu aresztowanych Polaków (sam przesłuchiwał Okulickiego i Jana Stanisława Jankowskiego). Z kolei Wyszynski, słynny oskarżyciel na pokazowych procesach

---

[11] *Kogda rasstrieliwali prokurorow*..., s. 143. Przekład autora artykułu.

[12] *Na prijomie u Stalina. Tietradi (żurnały) zapisiej lic, priniatych J.W. Stalinym (1924–1953)*, Moskwa 2008, s. 456.

moskiewskich w latach trzydziestych, wraz z Berią i Mierkułowem opracował całą koncepcję procesu przedstawioną Stalinowi 31 maja 1945 r. Uwzględniając zatem „wspólny mianownik" całej czwórki, trudno byłoby kwestionować informację Afanasjewa, że przedmiotem spotkania był proces Polaków. Był on sprawą najwyższej wagi państwowej, dlatego też „zaszczytu" spotkania z „wodzem", notabene pierwszy raz w życiu, dostąpili i Afanasjew, i Rudenko, i Włodzimirski. Bardziej złożonych rozważań wymaga weryfikacja głównych celów procesu wskazanych jakoby przez Stalina: kompromitacja Mikołajczyka i jego ekipy i tym samym neutralizacja popierającego Mikołajczyka premiera Churchilla, co miało doprowadzić do powołania w Polsce prosowieckiego rządu.

Stanisław Mikołajczyk. Fot. Wikimedia Commons

Rozgrywka Churchill – Stalin

Zacząć wypada od uwagi, że po konferencji jałtańskiej, na której ustalono reorganizację marionetkowego, zdominowanego przez komunistów Rządu Tymczasowego przez włączenie w jego skład przywódców demokratycznych z Polski oraz Polaków z zagranicy, głównym celem Churchilla stało się ograniczenie liczby komunistów w nowym gabinecie i zapewnienie w nim należytej reprezentacji Polakom spoza Rządu Tymczasowego. W działaniach zmierzających do tego celu brytyjski premier stawiał przede wszystkim na Mikołajczyka[13]. To o nim – wówczas już, po złożeniu dymisji ze stanowiska premiera 24 listopada 1944 r., osobie prywatnej – wypowiedział 15 grudnia 1944 r. w Izbie Gmin następujące słowa: „Mikołajczyk i jego

[13] J. Tebinka, *„Wielka Brytania dotrzyma lojalnie danego słowa". Winston Churchill a Polska*, Warszawa 2013, s. 331–332.

przyjaciele pozostają w oczach rządu Jego Królewskiej Mości jedynym światłem, które płonie dla Polski w najbliższej przyszłości"[14].

Tymczasem nastawienie władz sowieckich do Mikołajczyka od początku było wrogie. Starały się one storpedować jego udział w moskiewskich negocjacjach o składzie Tymczasowego Rządu Jedności Narodowej – na co nalegali alianci zachodni. W końcu lutego 1945 r. Mołotow wprost odrzucił kandydaturę Mikołajczyka do rozmów o nowym rządzie, argumentując, że jest on wrogo nastawiony do postanowień jałtańskich w sprawach polskich. Pod naciskiem Churchilla były premier publicznie zadeklarował, że akceptuje ustalenia z Jałty dotyczące powołania nowego rządu polskiego. Jednak Stalinowi to nie wystarczyło. Domagał się, by Mikołajczyk zadeklarował także, że godzi się na nową wschodnią granicę Polski na linii Curzona i włączenie Lwowa do Związku Sowieckiego. Dopiero spełnienie tego żądania przełamało opór Stalina i skłoniło do wyrażenia 24 kwietnia 1945 r. zgody na udział Mikołajczyka w rozmowach moskiewskich. Wątpliwe jednak, czy sowiecki dyktator chciał go widzieć w nowym rządzie, a już na pewno nie na jego czele. Poglądy, które wyznawał były premier, bez wątpienia nie nastrajały doń pozytywnie sowieckiego dyktatora. Stały bowiem w całkowitej sprzeczności z wyznawaną przez Stalina koncepcją Tymczasowego Rządu Jedności Narodowej jako całkowicie zdominowanego przez komunistów, jak i wizją Polski jako państwa wasalnego wobec ZSRS. W przesłanej Stalinowi 15 kwietnia 1945 r. przez Churchilla deklaracji uznającej postanowienia krymskie w sprawie nowego rządu Mikołajczyk nie tylko definiował cel negocjacji moskiewskich jako utworzenie rządu „możliwie najszerzej i najbardziej obiektywnie reoprezentującego naród polski"[15]. Pisał też o Polsce jako kraju suwerennym i niezależnym.

Sowieckiej obstrukcji w sprawie zaproszenia Mikołajczyka na konsultacje do Moskwy towarzyszyła znacznie poważniejsza rozgrywka, która – jeszcze przed rozpoczęciem tychże konsultacji – miała ograniczyć do minimum przewidzianą rekonstrukcję Rządu Tymczasowego. Stalin chciał, by w Polsce powtórzył się

---

[14] Cyt. za: P. Matera, *Aspekt brytyjski w działalności Stanisława Mikołajczyka jako wicepremiera Tymczasowego Rządu Jedności Narodowej (28 czerwca 1945 – 8 lutego 1947)*, „Acta Universitatis Lodziensis. Folia Historica" 2001, t. 70, s. 141.

[15] *Korespondencja przewodniczącego Rady Ministrów ZSRR z prezydentem Stanów Zjednoczonych i premierem Wielkiej Brytanii w okresie Wielkiej Wojny Narodowej 1941–1945*, t. 1: *Korespondencja z W.S. Churchillem i C.R. Attleem*, Warszawa 1960, s. 323.

wariant jugosłowiański, w którym stosunek komunistów do niekomunistów w rządzie wynosił 5:1. Jednak w tej sprawie alianci zachodni, w szczególności Churchill, stanęli okoniem. W końcu kwietnia 1945 r. w liście do Stalina brytyjski premier odrzucił proponowany przez sowieckiego dyktatora wzorzec jugosłowiański i żądanie, by Rząd Tymczasowy stanowił rdzeń nowego rządu. Na list ten Stalin odpowiedział 2 maja 1945 r., pisząc z wyraźną irytacją: „Jak widać z Pańskiego pisma, nie zgadza się Pan na to, by uważać Tymczasowy Rząd Polski za podstawę przyszłego Rządu Jedności Narodowej i nie zgadza się Pan, aby przyznać mu w tym Rządzie miejsce, które mu się prawnie należy. Muszę otwarcie powiedzieć, że takie stanowisko wyklucza możliwość osiągnięcia uzgodnionej decyzji w sprawie polskiej”[16]. W jakiś czas potem (18 maja 1945 r.) Churchill w rozmowie z sowieckim ambasadorem w Londynie, Fiodorem Gusiewem, oskarżył Moskwę o łamanie zasad polityki wobec Polski, polegających na tym, że Związek Sowiecki otrzymał wolną rękę na ziemiach polskich na wschód od linii Curzona, w zamian za co tereny na zachód od tej linii miały się znaleźć pod wpływami mocarstw anglosaskich[17]. Gusiew z miejsca powiadomił moskiewską centralę o rozmowie z brytyjskim premierem. Rzecz jasna, koncepcja Churchilla wyłożona w rozmowie z ambasadorem była dla Stalina nie do przyjęcia; chciał Polski całej, w połowie wcielonej do ZSRS, w połowie podporządkowanej Sowietom. (O ówczesnym poziomie napięcia między Londynem a Moskwą świadczy to, że brytyjski premier zlecił wojskowym przestudiowanie planu wojny z ZSRS).

Jak z tego wynika, wiosną 1945 r. Churchill walczył ze Stalinem o niezawisłą Polskę – acz w nowym kształcie terytorialnym i bez legalnego rządu polskiego[18]. Sojusznikiem Anglika w tej walce miał być Mikołajczyk. Churchill zrobił wszystko, by przełamać sowiecki opór przeciwko jego zaproszeniu do Moskwy, co miało umożliwić polskiemu politykowi niedopuszczenie do powstania Tymczasowego Rządu Jedności Narodowej zdominowanego przez komunistów.

---

[16] *Ibidem*, s. 350.

[17] J. Tebinka, *„Wielka Brytania dotrzyma lojalnie danego słowa”*..., s. 343.

[18] Tj. rządu pod prezesurą Tomasza Arciszewskiego, który zastąpił zdymisjonowany jesienią 1944 r. gabinet Mikołajczyka. Starania Churchilla nie zdejmują zeń współodpowiedzialności za podjęte w Jałcie przez „wielką trójkę” decyzje w sprawie zmiany granic Polski oraz powołania nowego rządu, który zastąpić miał legalny rząd Rzeczypospolitej.

Harry Hopkins i Józef Stalin, 1941 r. Fot. waralbum.ru

Ustępstwa Trumana

Niemal dokładnie w tym samym czasie z walki o kształt nowego rządu polskiego zaczęli się wycofywać Amerykanie. Harry Truman, następca zmarłego w kwietniu 1945 r. prezydenta Franklina Delano Roosevelta, po wstępnym zaostrzeniu stanowiska wobec Rosji w połowie maja tegoż roku postanowił złagodzić swą politykę wobec Stalina i wysłać do Moskwy swego prosowiecko nastawionego współpracownika i przyjaciela – Harry'ego Hopkinsa. Praktycznie jedynym jego zadaniem było doprowadzenie do zawarcia porozumienia ze Stalinem w sprawie polskiej. Trzeba tu podkreślić, że wysłanie Hopkinsa było świadomym złamaniem przez Amerykanów dotychczasowej anglo-amerykańskiej solidarności wobec Sowietów. USA i Wielka Brytania prezentowały dotąd wspólne stanowisko i razem naciskały na to, by ZSRS realizował postanowienia jałtańskie. Teraz Stany Zjednoczone postanowiły prowadzić „własną", bardziej ustępliwą politykę wobec ZSRS. Już pierwsze spotkanie Hopkinsa ze Stalinem 26 maja 1945 r. dowiodło, że aliancka jedność leży w gruzach. Kiedy Stalin oskarżył Wielką Brytanię o niepowodzenie w załatwieniu sprawy polskiej, ponieważ nie godzi się ona na Polskę przyjazną wobec Związku Sowieckiego i próbuje na nowo stworzyć „kordon sanitarny" na sowieckich granicach, jedyną reakcją Hopkinsa na te insynuacje była uwaga, że ani rząd USA, ani społeczeństwo amerykańskie nie mają takich zamiarów. Niemal na każdym spotkaniu deklarował, że władze Stanów Zjednoczonych chcą, by polski rząd był przyjacielsko nastawiony do Rosji, co Stalin kwitował stwierdzeniem, że jest to wszystko, czego żąda[19]. Ostateczne

[19] R.E. Sherwood, *Roosevelt and Hopkins. An Intimate History*, New York 1948, s. 890.

porozumienie Hopkins – Stalin w sprawie osób, które miały zostać zaproszone na konsultacje w Moskwie, zostało zawarte 6 czerwca 1945 r. Zaprosić miano cztery osoby z Rządu Tymczasowego, pięć innych osób z Polski i trzy z Londynu – w tym również Mikołajczyka. Wysłannik Trumana nie zdołał przekonać sowieckiego dyktatora do udziału w negocjacjach Karola Popiela ze Stronnictwa Pracy i reprezentanta Stronnictwa Narodowego[20].

Ustalenia Hopkinsa ze Stalinem stały w zupełnej sprzeczności z tym, czego chcieli Churchill i Mikołajczyk. Ten ostatni na początku czerwca 1945 r. zgłosił szefowi brytyjskiego gabinetu postulat, by do rokowań moskiewskich dopuścić przedstawicieli Stronnictwa Pracy i Stronnictwa Narodowego, a także byłego marszałka Sejmu Ustawodawczego i senatu – Wojciecha Trąmpczyńskiego – z czym Churchill 6 czerwca się zgodził. Okoliczność, że ustalenia Hopkins – Stalin pomijały reprezentantów SP i SN w przyszłych negocjacjach, nie umknęła uwadze Mikołajczyka. Zgłosił on protest w tej sprawie, a dodatkowo domagał się zwolnienia aresztowanej szesnastki, by niektórzy z uwięzionych Polaków mogli wziąć udział w rozmowach o nowym rządzie[21]. Generalnie Mikołajczyk uznał zgodę ZSRS na konsultacje za mało istotne ustępstwo taktyczne. Uważał, że kluczowy będzie skład nowego rządu, a w tej sprawie strona sowiecka będzie twardo obstawała przy swojej koncepcji[22]. Również Churchill przyjął rezultaty misji Hopkinsa bez entuzjazmu – tylko jako przełamanie impasu w rozmowach, ale nie krok w kierunku realizacji porozumień jałtańskich[23].

Zarówno Churchill, jak i Mikołajczyk mieli rację – zgoda Sowietów na udział Mikołajczyka w moskiewskich konsultacjach nie oznaczała bowiem automatycznie zgody na jego wejście do nowego rządu ani też rezygnacji z forsowanego przez Stalina „minimalistycznego" wariantu reorganizacji Rządu Tymczasowego. Kreml bowiem wyraźnie rozróżniał udział Mikołajczyka w konsultacjach o Tymczasowym Rządzie Jedności Narodowej i wejście byłego premiera w skład tego rządu. Jednoznacznie wynikało to z oświadczenia złożonego 2 maja 1945 r. przez Mołotowa na konfe-

---

[20] E. Cytowska-Siegrist, *Stany Zjednoczone a Polska 1939–1945*, Warszawa 2013, s. 392 i nast.

[21] R. Buczek, *Stanisław Mikołajczyk*, t. 1, Toronto 1996, s. 733; S. Mikołajczyk, *Polska zgwałcona* [b.d.m.w.], s. 140.

[22] K. Kersten, *Jałta w polskiej perspektywie*, Warszawa 1989, s. 151.

[23] J. Tebinka, *„Wielka Brytania dotrzyma lojalnie danego słowa"*..., s. 351.

> W rozgrywce o skład nowego rządu w Polsce kompromitacja Mikołajczyka i osób z nim związanych była sowieckiemu dyktatorowi na rękę.

rencji założycielskiej Narodów Zjednoczonych w San Francisco. Powiedział on obecnym tam politykom amerykańskim i brytyjskim, że władze sowieckie godzą się na zaproszenie Mikołajczyka na konsultacje o nowym rządzie polskim, zaznaczył jednak, że to, czy wejdzie on do niego i w jakim charakterze – to inna sprawa[24]. Stalin trwał przy koncepcji nowego rządu zdominowanego przez komunistów, co potwierdzały rozmowy z Hopkinsem, w trakcie których sowiecki dyktator zapowiedział, że z 18–20 stanowisk ministerialnych w tym rządzie „najwyżej" 4 mogą objąć Polacy spoza Rządu Tymczasowego. Anglicy, nieuczestniczący w negocjacjach Hopkins – Stalin, również dostali sygnał, że sowieckie stanowisko nie uległo zmianie: 6 czerwca 1945 r. w rozmowie z brytyjskim ambasadorem w Moskwie, Archibaldem Clarkiem Kerrem, Mołotow ponowił próbę przeforsowania koncepcji „jugosłowiańskiej" i Tymczasowego Rządu Jedności Narodowej z Rządem Tymczasowym jako jego „jądrem". Reagując na te doniesienia i najwyraźniej mając świadomość, że pozycja negocjacyjna Mikołajczyka jest słaba, Churchill polecił Kerrowi wspieranie byłego szefa polskiego rządu w czasie moskiewskich konsultacji[25]. Sam także wspierał Mikołajczyka. Przyjmując go 9 czerwca (wraz Janem Stańczykiem), atakował Rząd Tymczasowy, mówiąc, że cały naród jest przeciwko niemu, i dodając przy tym: „[...] dlatego potrzebuję panów i to jest największa wasza siła. Gdy raz weźmiecie władzę w ręce, będziecie mogli pomóc krajowi"[26].

Jak widać, na początku czerwca 1945 r. Stany Zjednoczone, upojone pozornym sukcesem misji Hopkinsa, zawiesiły walkę o skład rządu polskiego. Na placu boju pozostała Wielka Brytania, wspierająca Mikołajczyka. Pozostał też Stalin, zdecydowany forsować reorganizację Rządu Tymczasowego wedle modelu jugosłowiańskiego. W prowadzonej rozgrywce o skład nowego rządu w Polsce kompromitacja Mikołajczyka i osób z nim związanych, na których opierała się polityka brytyjska w sprawie polskiej, była sowieckiemu dyktatorowi niewątpliwie na rękę.

---

[24] *Sowietsko-amierikanskije otnoszenija 1939–1945*, Moskwa 2004, s. 674.

[25] L. Woodward, *British Foreign Policy during Second World War*, London 1971, s. 550–551.

[26] Cyt. za: R. Buczek, *Stanisław Mikołajczyk...*, s. 741.

* * *

Uwzględniając wyżej zarysowany kontekst historyczny, można uznać wspomnienia Afanasjewa za cenne źródło historyczne, warte uwzględnienia w prowadzonych badaniach. Jak każde źródło, wymagają one jednak krytycznego podejścia i mogą budzić wątpliwości. Szczególnie – jak się wydaje – w tym fragmencie, w którym Stalin z pewną dezynwolturą mówi o dyskredytowaniu polskiego podziemia jako celu stawianym przed procesem Szesnastu. Trudno bowiem byłoby zaprzeczyć, że dyskredytowanie Polskiego Państwa Podziemnego niewątpliwie również służyło stalinowskiej polityce względem Polski.

Przykłady Związku Sowieckiego i innych zaborczych reżimów jednoznacznie dowodzą, że wkładały one mnóstwo wysiłku w zohydzanie swych przeciwników i stygmatyzowanie ich mianem „bandytów". Taki zabieg był politycznie i propagandowo bardzo opłacalny, wyrzucając obrońców wolności poza nawias i ułatwiając ich zwalczanie. Trudno byłoby przyjąć, że proces moskiewski nie został wykorzystany także do tego celu.

Czy proces miał także kompromitować polski rząd na uchodźstwie? Wspomnienia Afanasjewa dość wyraźnie przeczą tej tezie, bardzo mocno zakorzenionej w historiografii. Wydaje się, że w przededniu konsultacji moskiewskich o nowym rządzie Stalin miał ważniejszy cel aniżeli zwalczanie gabinetu Tomasza Arciszewskiego. Od konferencji jałtańskiej rząd ten przestał być traktowany przez aliantów zachodnich jako podmiot polityki międzynarodowej i w grze toczonej między trzema mocarstwami o kształt TRJN nie był zupełnie brany pod uwagę. Pozbawiony wsparcia Stanów Zjednoczonych i Wielkiej Brytanii, nie był więc zagrożeniem ani dla stalinowskiej koncepcji nowego rządu, ani sprawowania władzy w powojennej Polsce.

Jego dyskredytowanie – i to w czasie, kiedy toczyły się rozmowy o składzie nowego rządu, w które gabinet Arciszewskiego w ogóle nie był zaangażowany – było zatem zarówno z politycznego, jak i propagandowego punktu widzenia jałowe. ▪

Sławomir Kalbarczyk (ur. 1961) – historyk, dr hab., pracownik Biura Badań Historycznych IPN. Autor książek: *Wykaz łagrów sowieckich, miejsc przymusowej pracy obywateli polskich w latach 1939–1943* (t. 1 – 1993, t. 2 – 1997); *Polscy pracownicy nauki – ofiary zbrodni sowieckich w latach II wojny światowej. Zamordowani, więzieni, deportowani* (2001); *Kazimierz Bartel (1882–1941). Uczony w świecie polityki* (2015) i in.

PRENUMERATA

gwarancją regularnego otrzymywania „Biuletynu IPN”

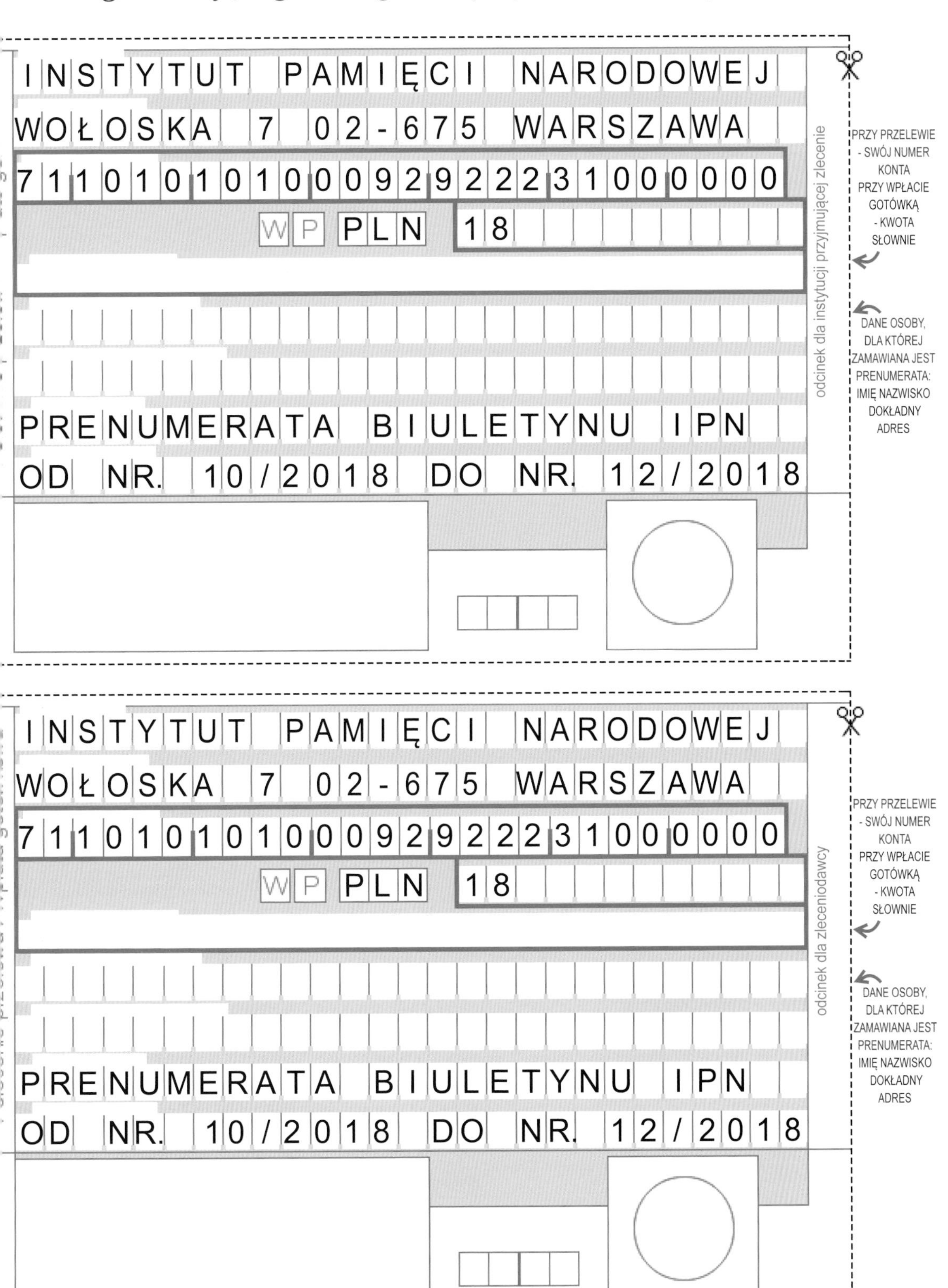

INSTYTUT PAMIĘCI NARODOWEJ
WOŁOSKA 7 02-675 WARSZAWA
71 1010 1010 0092 9222 3100 0000
W P PLN 18
PRENUMERATA BIULETYNU IPN
OD NR. 10/2018 DO NR. 12/2018

odcinek dla instytucji przyjmującej zlecenie

PRZY PRZELEWIE - SWÓJ NUMER KONTA
PRZY WPŁACIE GOTÓWKĄ - KWOTA SŁOWNIE

DANE OSOBY, DLA KTÓREJ ZAMAWIANA JEST PRENUMERATA: IMIĘ NAZWISKO DOKŁADNY ADRES

INSTYTUT PAMIĘCI NARODOWEJ
WOŁOSKA 7 02-675 WARSZAWA
71 1010 1010 0092 9222 3100 0000
W P PLN 18
PRENUMERATA BIULETYNU IPN
OD NR. 10/2018 DO NR. 12/2018

odcinek dla zleceniodawcy

PRZY PRZELEWIE - SWÓJ NUMER KONTA
PRZY WPŁACIE GOTÓWKĄ - KWOTA SŁOWNIE

DANE OSOBY, DLA KTÓREJ ZAMAWIANA JEST PRENUMERATA: IMIĘ NAZWISKO DOKŁADNY ADRES

Zamów „Biuletyn IPN" bezpośrednio do domu!

Koszt prenumeraty do końca 2018 r. wynosi 18 zł.
Otrzymają Państwo 3 kolejne numery.
Do każdego numeru dodajemy płytę DVD z filmem lub muzyką.
Zamówienie prenumeraty można złożyć:
- za pomocą blankietu płatniczego zamieszczonego na poprzedniej stronie,
- pocztą elektroniczną **prenumerata@ipn.gov.pl**
- lub na adres pocztowy:

Instytut Pamięci Narodowej – Księgarnia IPN
ul. Wołoska 7, 02-675 Warszawa
Wszelkie informacje pod numerami:
(22) 581-86-78, (22) 581-86-79